A' Ghàidhlig agus Beachdan nan Sgoilearan

Cothroman leasachaidh

ann am foghlam tro mheadhan na Gàidhlig

A' Ghàidhlig

agus

Beachdan nan Sgoilearan

Cothroman leasachaidh
ann am foghlam
tro mheadhan na Gàidhlig

'' S e cànan a th' ann, mar Beurla, ach 's e Gàidhlig a th' ann'

Sìleas L. NicLeòid

Clò Ostaig

A' Ghàidhlig agus Beachdan nan Sgoilearan: cothroman leasachaidh ann am foghlam tro mheadhan na Gàidhlig, Sìleas L. NicLeòid

Air fhoillseachadh airson na ciad uarach an Albainn ann an 2015 le Clò Ostaig, Sabhal Mòr Ostaig, Slèite, An t-Eilean Sgitheanach IV44 8RQ.

Air a chlò-bhualadh le Gwasg Gomer, Llandysul

ISBN 978-0-9562615-3-3

Chuidich Soillse am foillsichear le cosgaisean an leabhair seo.

Do Fhlòraidh 'Flo' NicCoinnich

BUIDHEACHAS

Sa chiad dol-a-mach, tha mi airson taing a thoirt dhan a h-uile duine a chuidich leis a' PhD agam, às an tàinig a' chuid a bu mhotha den leabhar seo. Bhiodh e air a bhith do-dhèanta dhomh pròiseact rannsachaidh cho farsaing a ghabhail os làimh is a choileanadh às aonais a' bhrosnachaidh is na taice a fhuair mi bho iomadh co-obraiche, caraid agus bho mo theaghlach. Tha mi air taic ionmholta fhaighinn bho Iain Mac an Tàilleir agus Richard Cox, na prìomh stiùirichean PhD agam, thairis air na trì bliadhna, agus tha mi fìor thaingeil airson gach beachd, comhairle agus fios air ais a thug iad dhomh. Taing fìor shònraichte cuideachd dha Tim Armstrong, a bha air leth cuideachail don obair rannsachaidh agam an dà chuid mar cho-obraiche tro na bliadhnaichean PhD agus, sa bhliadhna às dèidh làimh, mar mhanaidsear dhomh nam obair rannsachaidh iar-dhotaireil.

Bha mi air leth fortanach leis an sgioba obrach timcheall orm aig Sabhal Mòr Ostaig (SMO) a tha air a bhith fìor chuideachail aig gach ìre den phròiseact seo (am PhD agus an leabhar fhèin), ann an diofar dhòighean: Taing shònraichte dha Murchadh M. MacLeòid, Gillian Rothach, Meg Bateman, Domhnall Uilleam Stiùbhart, Ùisdean Cheape agus Iain Urchadan airson fios a-steach agus dheasbadan inntinneach, fios air ais air na beachdan agam is air an sgrìobhadh agam agus airson mo bhrosnachadh gu cunbhalach nam obair, às bith dè na cnapan-starra a thigeadh thugam. A bharrachd air sin, cha b' urrainn taic na b' fheàrr fhaighinn na fhuair mi tro sgioba leabharlainn SMO (Cairistìona Cain agus Greg MacThòmais) agus sgioba IT SMO (Teàrlach Culbertson, Dòmhnall Dòmhnallach agus Màrtainn Dòmhnallach). Mòran taing.

'S ann tro sgoilearachd làn-ùine bho Shabhal Mòr Ostaig agus Soillse a bha e comasach dhomh rannsachadh PhD a ghabhail os làimh sa chiad dol-a-mach, agus tha mi air leth taingeil airson a' chothroim seo a chaidh a thathann dhomh. A bharrachd air taic maoineachaidh, chuir sgioba Shoillse ris an rannsachadh agam tro chothroman trèanaidh agus deasbadan feumail am measg luchd-rannsachaidh is oileanach PhD nan stèidheachdan eile a tha nam pàirt de Shoillse. Tha mi airson taing a thoirt dhaibh uile, gu h-àraidh dha Richard Johnstone, Fiona O' Hanlon, Coinneach MacFhionghain, Rob Dunbar, Iain Caimbeul, Nicola Carty, Stiùbhart Dunmore agus Cassie Smith-Christmas. Tha mi airson taing a bharrachd a thoirt do Shoillse airson taic maoineachaidh a chumail ri clò-bhualadh an leabhair seo.

Taing shònraichte do Richard Cox às leth Chlò Ostaig airson ùidh a nochdadh nam obair sa chiad àite is airson co-obrachadh sgoinneil sa phròsas deasachaidh.

Mòran taing cuideachd dhan Dr Fionnlagh MacLeòid, airson beachdan agus fios air ais fìor chuideachail a thoirt dhomh air m' obair.

Cha b' urrainn dhomh a bhith air dàta sam bith a thogail mura b' e is gun robh na sgoiltean uile agus teaghlaichean na cloinne cho deònach pàirt a ghabhail san rannsachadh agam sa chiad àite. Mòran mòran taing do na h-agallaichean gu lèir anns na diofar sgìrean: sgoilearan, pàrantan agus luchd-teagaisg. Chòrd e rium gu mòr a bhith ag obair còmhla ribh uile.

A thuilleadh air a h-uile duine a chaidh ainmeachadh gu ruige seo, bu chaomh leam taing shònraichte a thoirt dha mo phàrantan is dha mo phiuthar; vielen lieben Dank für eure beständige und unerschütterliche Unterstützung in allen Hochs und Tiefs meiner Promotionsjahre (und auch sonst)!

Ceud mìle taing dha Iain Fionnlagh MacLeòid. Bhiodh m' obair rannsachaidh air a bhith do-dhèanta aig amannan às d' aonais agus às aonais do thaice, sa h-uile dòigh. Chan eil facail agam airson na taice is an neirt a fhuair mi tron teaghlach bheag againn fhìn, thu fhèin agus Eilidh Sofia bheag. Tausend Dank.

Sìleas L. NicLeòid

Clàr-innse

LIOSTA NAM FACAL AGUS GIORRACHAIDHEAN

agallaiche	interviewee
agallamh	interview
antroipeòlach	antropological
antroipeòlas cànanach	linguistic anthropology
AS	àrd-sgoil
beò-iarraidh	ambition, aspiration
brath co-iomlan	holistic concept
BS	bun-sgoil
CaSM	Curraicealam airson Sàr Mhathais
cathaireil	urban
cf.	confer (Laid.) 'dèan coimeas'
co-àicheadh	contradiction
co-àicheil	contradictory
co-iomlan	holistic
comasachd	potential
comhaois	peer
C2	'cànain a dhà', dàrna cànain
diubhair	discrepancy
dreuchd	role, function
dreuchdail	functional
earrannachadh	compartmentalisation
eas-cruthach	abstract
fiorachail	realistic
fios a-mach	output
fios a-steach	input
fios-fhaireachdainn	experience
fìrinneachd susbaint	truthfulness of content
FMB	foghlam tro mheadhan na Beurla
FMG	foghlam tro mheadhan na Gàidhlig
gluasad eas-cruthach	abstract transfer
gnèitheach	intrinsic
.i.	eadhon, 's e sin
ideòlach	ideological
im-fhiosraichte	intuitive
leth-structarail	semi-structured
mion-atharraiche	modifier
raon-cleachdaidh cànanach	language domain
reim	word register
seaghachadh	implying
seasamh	attitude
stèidheachd	institution
soineanta	naïve

sòisio-chànanas	sociolinguistics
sòisio-eòlach	sociological
tar-chur cultarach	cultural transmission
teòirig	theory
tras-sgrìobhadh	transcript
uachdarach	superficial

Anns na tras-sgrìobhaidhean:

..	fuaim ('em', 'mm' msaa)
...	stad
[...]	chaidh pìos fhàgail às
[faca(i)l]	chaidh faca(i)l a chur ris
AS	àrd-sgoil
BS	bun-sgoil
clò Eadailteach	facail Bheurla ann an aithris Ghàidhlig nan agallaichean
NT	neach-teagaisg
P	pàrant
Sg	sgoilear
Sg-19-BS	agallaiche àireamh 19 am measg sgoilearan bun-sgoile

1. Ro-Ràdh

Fad còrr agus 25 bliadhna, tha luchd na Gàidhlig agus buidhnean Gàidhlig, gun luaidh air an riaghaltas fhèin, air cuideam sònraichte a chur air siostaman foghlaim far a bheil a' Ghàidhlig na meadhan teagaisg, gus a' chànain a neartachadh agus daoine òga a chuideachadh gu fileantachd. 'S i a' cheist a dh'èireas a-nis, ge-tà, dè cho soirbheachail is a tha foghlam tro mheadhan na Gàidhlig (FMG) ann an da-rìribh, ceangailte ri diofar phuingean fòcais? Tha e follaiseach, bho thaobh foghlaim fhèin agus bho thaobh amasan acadaimeagach, gun soirbhich le sgoilearan FMG, is gun ruig iad gun trioblaid[1] na h-aon ìrean agus amasan ri sgoilearan nach bi ag ionnsachadh ach tro mheadhan na Beurla, a bharrachd air a bhith fileanta ann an dà chànain.

Ach, aig an aon àm, chan eil fhios againn dè tha an suidheachadh ionnsachaidh sònraichte sin a' ciallachadh do na sgoilearan fhèin. Ciamar a tha iadsan a' faireachdainn gu pearsanta mun Ghàidhlig is mu bhith dà-chànanach? Dè an tuigse a th' aca air a' chànain is a co-theagsa, ann an eachdraidh is san latha an-diugh? A bheil iad mothachail air cothroman a bharrachd a bhios a' Ghàidhlig agus dà-chànanas san fharsaingeachd a' tathann dhaibh no am bi iad a' coimhead air a' chànain mar phàirt de bheatha na sgoile a-mhàin? A bheil a' mhisneachd aca a bhith a' toirt na cànain a-mach às an sgoil is a' gabhail rithe mar phàirt dem beatha phrìobhaideach is shòisealta cuideachd? Agus, san fharsaingeachd, dè cho mòr is a tha an diofar ann an da-rìribh eadar sgilean Beurla is sgilean Gàidhlig nan sgoilearan aig deireadh nam bliadhnaichean sgoile: a bheil na comasan aca anns a' Ghàidhlig idir faisg air an aon ìre rin comasan anns a' Bheurla?

Chan eil mòran fianais ann idir gum bi clann a' dèanamh feum den cuid chomasan sa Ghàidhlig air taobh a-muigh a' chlas sgoile an-dràsta,[2] agus tha an aon iomagain air èirigh an lùib mhion-chànainean eile, mu chlann a gheibh an cuid foghlaim tro Ghàidhlig na h-Èireann, mar eisimpleir, no tron Chuimris, tro Mhàori ann an Sealan Nuadh agus msaa.[3] B' e seo aon de na prìomh cheistean a thug orm smaoineachadh air rannsachadh a dhèanamh air FMG sa chiad dol-a-mach, le fòcas làidir air beachdan nan sgoilearan fhèin, agus mise gu mòr airson freagairtean do na ceistean sin obrachadh a-mach. Tro bhith ag obair fad bhliadhnaichean le clann à FMG fo sgèith cùraim-cloinne[4]

1 O' Hanlon et al. 2012 is 2010, Johnstone et al. 1999.
2 Oliver 2006, 164.
3 Ó Duibhir 2010, Coupland et al. 2005, May is Hill 2005.
4 Fad sia bliadhna, bha mi an sàs ann an ionad cùraim-cloinne Gàidhlig, ag obair le clann eadar sia mìosan agus dusan bliadhna a dh'aois. Thòisich mi fhìn agus Alasdair MacMhaoirn club Karate tro mheadhan na Gàidhlig (faic Landgraf is MacMhaoirn 2011, airson barrachd

agus tro obair rannsachaidh am measg cloinne-sgoile ann am pròiseact Gàidhlig
air ealain,[5] bha mi air fàs mothachail nach robh mòran sgoilearan a' sùileachadh
ri bhith a' bruidhinn sa Ghàidhlig idir, cho luath is a dh'fhàg iad an sgoil no a
h-àrainneachd gu fiosaigeach, a dh'aindeoin is gun robh comasan reusanta math
aca sa chànain agus a dh'aindeoin is gun robh coltas misneachail is fiù 's bragail
air mòran dhiubh san fharsaingeachd. Mar sin, bha fadachd orm na beachdan
is seallaidhean aca fhèin air an t-suidheachadh cànain aca a chnuasachadh agus,
an uair sin, a bhith ag obair air molaidhean a thaobh na b' urrainn dhuinn
a leasachadh san t-siostam FMG fhèin gus am biodh a' Ghàidhlig na pàirt
cumanta de chleachdaidhean is taghaidhean cànanach na cloinne, air taobh
a-staigh agus air taobh a-muigh na sgoile.

Geàrr-iomradh air an rannsachadh aig cridhe an leabhair

Eadar 2010 agus 2013 bha mi an sàs ann an rannsachadh ann an diofar sgoiltean
an Alba (còig bun-sgoiltean agus ceithir àrd-sgoiltean) airson a' phròiseict PhD
agam. Bha e fa-near dhomh coimhead air an *status quo* anns a bheil foghlam
tro mheadhan na Gàidhlig an-diugh, gu h-àraidh a thaobh a' cheangail eadar
cànain agus cultar. Thug mi sùil air an fhios a-steach[6] a gheibh na sgoilearan
air an dà thaobh, cànain agus cultar, agus mar a dh'fhaodas buaidh a bhith
aig an fhios a-steach sin air comasan agus seasamhan[7] cànain na cloinne. Gu
mionaideach, bha sin a' ciallachadh sgrùdadh air comasan cànain na cloinne,
air an cuid sheasamhan mu choinneimh na Gàidhlig agus FMG agus air an
tuigse a bh' aca air eachdraidh is cultar na Gàidhlig, air feum na cànain agus
air na h-adhbharan aig bonn FMG. Mu dheireadh thall, chaidh measadh a
dhèanamh air FMG gu farsaing, a rèir beachdan nan agallaichean: a' chlann
fhèin, buidheann de phàrantan agus luchd-teagaisg. Tro na freagairtean sin
agus tro sgrùdadh susbainteach nan agallamhan[8] fhèin, thàinig e am bàrr dè na
neartan a th' aig FMG an-dràsta agus, cuideachd, dè na duilgheadasan.

  B' e an t-adhbhar aig bonn nan ceistean rannsachaidh a bha sin gun robh mi
an dùil gum biodh buaidh làidir san fharsaingeachd aig comasan cànain agus
seasamhan cànain na cloinne air an cuid chleachdaidhean cànain, oir

  (a) cha bhruidhneadh duine a' Ghàidhlig mura biodh a chuid chomasan
  anns a' Ghàidhlig reusanta math is adhartach (feum air sgilean matha sa
  chànain) ach, cuideachd,

fiosrachaidh air a' phròiseact sin) fo sgèith an ionaid agus le taic bho Bhòrd na Gàidhlig, airson
sgoilearan na bun-sgoile, is bha mi a' teagasg na buidhne sin gach seachdain fad ceithir bliadhna.
5 *Air Iomlaid*, faic Landgraf 2011.
6 fios a-steach 'input'.
7 seasamhan 'attitudes'.
8 agallamhan 'interviews'.

(b) às bith dè cho fileanta is a bhiodh duine, chan eil e coltach gum bruidhneadh iad a' Ghàidhlig mura robh iad den bheachd gun robh i cudromach no riatanach dhaibh san latha an-diugh idir (feum air seasamhan taiceil mu choinneimh na cànain).

Mar sin, ghabh mi ris nach biodh pàtrain làidir aig clann a thaobh a bhith a' cleachdadh na Gàidhlig uair sam bith a b' urrainn dhaibh, ach nan robh sgilean reusanta math aca sa chànain fhèin agus, cuideachd, nan robh seasamhan taiceil aca mu choinneimh na Gàidhlig.

Bha e mar amas dhomh tron rannsachadh a bhith a' lorg dhòighean gus FMG a leasachadh, gu sònraichte a thaobh comasan agus beachdan cànain na cloinne, oir tha mi an dùil gun cuidicheadh an dà rud sin gu mòr gus cleachdaidhean cànain nan sgoilearan air taobh a-muigh agus air taobh a-staigh na sgoile a thoirt am feabhas.

AMAS AN LEABHAIR

Thàinig mòran thoraidhean fìor inntinneach am bàrr tron rannsachadh agam, an dà chuid toraidhean ris an robh mi an dùil agus toraidhean a bha gu math iongantach dhomh. San fharsaingeachd, bha e mìorbhaileach faicinn cho làidir is bha guth na cloinne ann an cuid de na cuspairean sna h-agallamhan, agus sheall sin dhomh cho cudromach is a tha e an còmhradh no an deasbad air Gàidhlig agus air FMG fhosgladh do na sgoilearan fhèin. Tha beachdan làidir agus tuigseach aig cuid agus, nas cudromaiche buileach, tha ùidh mhòr aig mòran dhiubh sa chànain agus iad ag iarraidh barrachd ionnsachadh ma deidhinn fiù 's aig ìre a tha beagan ideòlach[9] is poileataigeach.

Fhad 's a dhealbhaich mi am pròiseact, bha mi a' faireachdainn gu làidir gun robh mòran rannsachaidh air a ghabhail os làimh mu choinneimh FMG mar-thà anns an robh an luchd-rannsachaidh a' bruidhinn a-mhàin ri luchd-teagaisg agus luchd-obrach eile an sàs ann am FMG (mar eisimpleir ri ceannardan sgoile, luchd-obrach nan comhairlean agus buill bhuidhnean Gàidhlig), gun a bhith a' conaltradh gu dìreach ris na daoine ann an teas-meadhan na cùise: na sgoilearan fhèin. Às dèidh dhomh a bhith ag obair le clann fad iomadh bliadhna, ann an cùram-cloinne Gàidhlig (clann 0–12 bliadhna a dh'aois) agus tro rannsachadh le clann anns a' phròiseact ealain (tro mheadhan na Gàidhlig) *Air Iomlaid*,[10] bha mi air mothachadh cho adhartach is a tha beachdan is seallaidhean cloinne aig ìre gu math tràth agus, gu dearbh, gum b' fhiach an gabhail a-steach ann an còmhradh rannsachaidh.

---

9 ideòlach 'ideological'.
10 Airson barrachd fiosrachaidh air a' phròiseact seo, faic Landgraf 2011.

Tron leabhar seo tha mi airson aire a thogail air guth na cloinne fhèin ann am FMG agus bu chaomh leam cothrom a thoirt do phàrantan, luchd-teagaisg agus do dhuine sam bith eile a tha an sàs ann am FMG gu proifeasanta no gu prìobhaideach, no aig a bheil dìreach ùidh anns an t-siostam ionnsachaidh sin, leughadh mun rannsachadh agam. Mar sin, chan e leabhar do luchd-rannsachaidh a th' ann sa chiad àite – ged a bhiodh fàilte ro neach-rannsachaidh sam bith a leughadh – ach leabhar don a h-uile duine a bhios an sàs ann am FMG gu làitheil, gu proifeasanta no gu prìobhaideach. Oir, ma ghabhas leasachadh an t-siostaim gabhail os làimh – agus tha mi a' creidsinn gu làidir gun dèanadh fiù 's leasachaidhean beaga feum mòr do FMG – 's iad na daoine aig a bheil a' chumhachd is an t-eòlas as riatanaiche airson sin a thoirt gu buil.

MAR A CHAIDH AN OBAIR RANNSACHAIDH A GHABHAIL OS LÀIMH: TEÒIRIG[11] AGUS CUR AN GNÌOMH

Nuair a smaoinich mi mu bhonn-stèidh an rannsachaidh agam gu teòrigeil, ràinig mi an co-dhùnadh dà shealladh a ghabhail a-steach: sòisio-chànanas[12] agus antroipeòlas cànanach.[13] Ann an rannsachadh fo lèirsinn shòisio-chànanach bidh an neach-rannsachaidh a' gabhail a-steach fhactaran sòisio-eòlach[14] a tha nam pàirt de cho-theagsa na cànain.[15] An àite coimhead air cànain fa leth, thèid sgrùdadh a dhèanamh air a co-theagsa sòisealta, air seasamhan cànain dhaoine, diofar reimeannan[16] is dualchainntean, air a' bhuaidh a th' aig diofar shuidheachaidhean sòisealta air cleachdaidhean cànain agus air taghaidhean cànanach.[17] Gu h-àraidh far a bheil còrr is aon chànain beò san aon àrainneachd tha an sealladh farsaing seo glè chudromach, oir, an sin, bidh na cànainean dlùth-cheangailte ri fèin-aithne, eòlas agus comasan sòisealta. Mar sin, bidh na taghaidhean cànain a nì daoine ann an diofar shuidheachaidhean a' toirt tuilleadh fiosrachaidh don neach-rannsachaidh air an luchd-bruidhinn fhèin agus air a' chomann shòisealta aca.[18] Airson an rannsachaidh agam fhìn bha sin a' ciallachadh gum b' urrainn dhomh sùil a thoirt air factaran ann an àrainneachd chànanach na cloinne aig am faodadh buaidh a bhith air an cuid bheachdan is comasan cànain. Ghabh na factaran sin a-steach buaidh bhon teaghlach fhèin, bhon choimhearsnachd agus bho àrainneachd na sgoile.

---

11 teòirig 'theory'.
12 sòisio-chànanas 'sociolinguistics'.
13 antroipeòlas cànanach 'linguistic anthropology'.
14 factaran sòisio-eòlach 'sociological factors'.
15 Faic McEwan-Fujita 2010.
16 reimeannan 'registers'.
17 Veith 2005, Wardhaugh 1986, A. D. Edwards 1976.
18 Wardhaugh 1986, 95.

A bharrachd air seallaidhean sòisio-chànanach, bha mi airson lèirsinn eile a leantainn a bhios a' dèanamh sgrùdadh air suidheachaidhean cànanach gu co-iomlan,[19] agus 's e sin antroipeòlas cànanach. San teòirig sin, tha e na phrìomh amas gun a bhith a' dèanamh sgaradh fuadain eadar daoine is cultar, cànain, beachdan ceangailte ri cànain agus cuspairean teagaisg. Na àite, thèid dòigh-dèiligidh a thaghadh a bhios a' ceangal nan cuspairean sin ri chèile is a bhios a' sgrùdadh cànain tro shealladh antroipeòlach,[20] a' gabhail a-steach tar-chur cultarach,[21] ath-chruthachadh cultair, agus dàimhean eadar siostaman cultarach is siostaman sòisealta.[22]

Le bhith a' cleachdadh an dà theòirig sin còmhla, tha e comasach dealbh shlàn fhìorachail[23] fhaighinn air suidheachaidhean cànanach, oir chithear cò ris a tha cànain coltach ann an co-theagsa nàdarrach, ann an da-rìribh, an àite a bhith ga sgrùdadh ann an cruth fuadain.[24]

Aig ìre phragtaigeach an rannsachaidh, thàinig gu leòr dhùbhlanan agus shuidheachaidhean fìor inntinneach thugam. Thairis air beagan mhìosan, shiubhail mi timcheall air Alba, a' tadhal air naoi diofar sgoiltean ann an ceithir sgìrean eadar-dhealaichte. Bha mi airson a bhith cinnteach gum faighinn beachdan a bha gu math farsaing agus nach robh dìreach a' buntainn ri aon sgìre no fìor airson aon sgoile gu sònraichte. Air sàilleabh sin, rinn mi an co-dhùnadh a bhith a' taghadh aon bhun-sgoil agus aon àrd-sgoil ann an ceithir sgìrean de dh'Alba a bha gu math eadar-dhealaichte bho chèile: sa Ghalltachd chathaireil,[25] san Eilean Sgitheanach, ann an Uibhist agus ann an Leòdhas. Tha na ceithir sgìrean sin glè eadar-dhealaichte bho chèile, a thaobh àrainneachd cànanaich,[26] bun-structair, dòigh-beatha agus cur-seachadan na cloinne. 'S e co-theagsa cathaireil agus làn-Bheurla a bhios bailtean mar Ghlaschu is Dùn Èideann a' tathann, gun mhòran Gàidhlig annta idir, co-dhiù aig ìre fhollaiseach,

19 co-iomlan 'holistic'.
20 antroipeòlach 'antropological'.
21 tar-chur cultarach 'cultural transmission'.
22 Faic Salzmann 1998, Duranti 1997.
23 fìorachail 'realistic'.
24 Cf. beachdan Chomsky (1965) air an diofar eadar Comas cànanach (gu teòirigeil) vs Taisbeanadh cànanach (gu pragtaigeach, ann an co-theagsaichean nàdarrach).
25 cathaireil 'urban'.
26 Chithear diofar mòr ann an àireamh luchd-labhairt na Gàidhlig anns na sgìrean sin, a rèir toraidhean a' chunntais-sluaigh mu dheireadh, ann an 2011 (cf. Mac an Tàilleir 2013): A' Ghalltachd chathaireil (Glaschu is Dùn Èideann): 9,048 luchd-labhairt na Gàidhlig a-mach à sluagh de 1,032,736 (0.88%); An t-Eilean Sgitheanach: 2,857 luchd-labhairt na Gàidhlig a-mach à sluagh de 9,710 (29.42%); Leòdhas: 9,217 luchd-labhairt na Gàidhlig a-mach à sluagh de 18,890 (48.79%); Uibhist (gu lèir): 2,568 luchd-labhairt na Gàidhlig a-mach à sluagh de 4,259 (60.3%).

ann an àiteachan poblach sa bhaile. San fharsaingeachd, dh'fhaodte a bhith an dùil gun tig a' mhòr-chuid den chloinn ann am FMG sna h-àiteachan sin à dachaighean gun Ghàidhlig, no 's math dh'fhaodte le aon phàrant a-mhàin le Gàidhlig.

Tha cùisean diofraichte a-rithist san Eilean Sgitheanach – àite nach eil cho làidir a thaobh na Gàidhlig is a b' àbhaist, ach far a bheil beagan Gàidhlig sna coimhearsnachdan fhathast. Chan eil na h-aon chothroman aig clann an sin a thaobh chur-seachadan (an taca ri bailtean-mòra), leis cho iomallach is a tha àiteachan air an eilean. Bidh a' chlann a' fuireach nas fhaisge air a chèile na clann sa bhaile-mhòr a bhios a' siubhal bho air feadh a' bhaile gus faighinn don sgoil no aonad Ghàidhlig, agus bidh e nas fhasa don fheadhainn san Eilean Sgitheanach coinneachadh gu sòisealta air taobh a-muigh uairean na sgoile (aig ìre na bun-sgoile).

A thaobh dhòighean-beatha, siubhail agus chur-seachadan cha bhi diofar mòr ri fhaicinn eadar Uibhist agus Leòdhas. Ge-tà, tha an dà eilean gu math diofraichte a thaobh creideimh agus cleachdaidhean creideimh agus faodaidh buaidh a bhith aig sin air beatha na cloinne. A bharrachd air sin, tha baile reusanta mòr is làn ghoireasan ann an Leòdhas, fhad is nach eil an aon seòrsa àite ri fhaighinn ann an Uibhist, far a bheil e nas iomallaiche air feadh nan eilean, gun phrìomh bhaile mar mheadhan goireasach do na h-eileanan. 'S e sin na h-adhbharan air an deach na ceithir sgìrean sin a thaghadh airson pàirt a ghabhail san rannsachadh.

Bha e fìor inntinneach siubhal timcheall nan diofar sgìrean agus a bhith a' feuchainn ri gabhail a-steach cho sònraichte is a bha gach àrainneachd, a thaobh choimhearsnachdan, ghoireasan, aimsir agus an *atmosphere* gu farsaing. Chuir e gu mòr ris an fhios-fhaireachdainn[27] sin gun do dh'atharraich na h-àiteachan-fuirich agam eadar leabaidh is bracaistean, taighean-òsta, ostailean agus teanta!

A' DÈANAMH NAN AGALLAMHAN

Anns gach sgoil, bha mi airson agallamhan a chumail le 10–16 sgoilearan (sa bhun-sgoil: eadar clas 5 agus clas 7; san àrd-sgoil: eadar S1 agus S2). Air sgàth 's gun robh cuid den chloinn gu math òg fhathast, bha mi ag amas air barrachd agallamhan a dhèanamh na bha mi an dùil a chleachdadh san sgrùdadh, air eagal 's gun robh sgoilear no dhà am measg nan agallaichean[28] a bha ro dhiùid no ro mhì-chinnteach gus na ceistean a fhreagairt. Chan ann tric a fhuair mi 16 agallamhan ann an da-rìribh, ach anns a' mhòr-chuid de na sgoiltean fhuair mi còrr is 10 co-dhiù, agus b' urrainn dhomh na 10 agallamhan a bu fhreagarraiche

---

27 fios-fhaireachdainn 'experience'.
28 agallaichean 'interviewees'.

no a bu shusbaintiche a thaghadh an uair sin. B' e agallamhan leth-structarail[29] a bh' annta, a' ciallachadh gun robh liosta làn cheistean agam airson structar is comhair a thoirt don chòmhradh, ach, aig an aon àm, bha mi a' fàgail gu leòr rum airson togail air freagairtean no beachdan ris nach robh mi an dùil. Thachair e gu tric gun do rinn cuideigin iomradh air beachd glè inntinneach nach robh ceangailte gu dìreach ris na ceistean air neo gun tàinig fiosrachadh ùr am bàrr fhad 's a bha sgoilear a' mìneachadh aon de na freagairtean aca na bu mhionaidiche na a' mhòr-chuid. Nam b' e puing chudromach don rannsachadh a bh' innte, bha an cothrom agam an uair sin ceist no dhà a bharrachd a chur air an sgoilear is an t-slighe ùr a bha sin a leantainn – agus mar bu trice, b' fhiach sin a dhèanamh, gun teagamh.

Tha mi airson daingneachadh an seo cuideachd gun deach na h-agallamhan a rinn mi leis na sgoilearan uile-gu-lèir a chumail anns a' Ghàidhlig. B' e co-dhùnadh gu math cudromach a bha sin, às dèidh dhomh a bhith a' smaoineachadh glè fhada mun dòigh a b' fheàrr a thaobh taghadh cànain sna còmhraidhean sin. Ged a bha mi an dùil gum biodh a' Bheurla rud beag na b' fhasa don mhòr-chuid de na sgoilearan, thagh mi a' Ghàidhlig thairis air a' Bheurla airson nan agallamhan, agus fhuair mi mòran bhuannachdan às an taghadh sin. A bharrachd air nach robh mi an dùil gum biodh cus thrioblaidean aig na sgoilearan mo cheistean a fhreagairt ann an cànain a bha iad air a bhith a' cleachdadh bhon a' chiad latha a thòisich iad sa bhun-sgoil is a chuala iad a h-uile latha bhon uair sin mar mheadhan teagaisg, chunnaic mi cuideachd an cothrom a bhith a' togail fiosrachadh cudromach mu na sgilean Gàidhlig aca. Cha robh a' chlann mothachail air sin, oir cha robh deuchainn no ceistean gràmair ann, ach, aig an aon àm, fhuair mi beachd mionaideach air na comasan labhairt agus gràmair aca dìreach le bhith ag èisteachd riutha sa Ghàidhlig. Tro thras-sgrìobhaidhean[30] nan agallamhan, tha nàdar de chorpas agam a-nis cuideachd a ghabhas cleachdadh airson sgrùdadh mionaideach is foirmeil air comasan Gàidhlig aig sgoilearan FMG.[31] A bharrachd air sin, bha mi a' faireachdainn gum biodh a' Ghàidhlig mar chànain nan agallamhan na bu fhreagarraiche san fharsaingeachd, leis gun deach na h-agallamhan a chumail anns na sgoiltean fhèin, .i. ann an àrainneachd Ghàidhlig far an robh na sgoilearan uile cleachdte rithe agus cofhurtail leis a' chànain.

29 leth-structarail 'semi-structured'.
30 tras-sgrìobhaidhean 'transcripts'.
31 Cha do rinn mi an sgrùdadh sin sa PhD agam agus cha dèan mi e san leabhar seo nas motha, leis gu bheil cuspairean eadar-dhealaichte ann am fòcas an seo, ach tha mi an dùil am fiosrachadh cànanach sin a chleachdadh airson pàipear no dhà a bharrachd a sgrìobhadh san àm ri teachd, a' dèiligeadh a-mhàin ris an taobh ghramataigeach ann an sgilean Gàidhlig na cloinne.

Cha robh trioblaidean mòra gan sealltainn le bhith a' cumail nan agallamhan sa Ghàidhlig, agus fhuair mi freagairtean don a h-uile ceist bhon mhòr-chuid de na sgoilearan. Far nach robh freagairt sam bith no freagairtean domhainn a' tighinn am bàrr an toiseach, rinn mi cinnteach nach b' ann air sgàth duilgheadais chànanaich a bha sin, is bhithinn a' cur na h-aon cheist le facail na bu shìmplidh agus ann an cruth eadar-dhealaichte air an sgoilear. Bha coltas ann gun do dh'obraich sin glè mhath. Rinn mi an aon rud a thaobh tuigse air susbaint nan ceistean: aig amannan, dh'fhaighnichinn an aon cheist iomadh turas, ach ann an cruthan eadar-dhealaichte, gus am b' urrainn dhomh a bhith cinnteach gun deach a tuigsinn is gun d' fhuair mi freagairt iomchaidh. Mar sin, b' urrainn dhomh gabhail ris, far nach d' fhuair mi freagairt sam bith no beachd domhainn, nach robh fios aig an sgoilear air cuspair na ceist, agus nach b' e duilgheadas air sgàth taghaidh cànain a bh' ann.

San fharsaingeachd, tha e cudromach ann an rannsachadh tro agallamhan a bhith gu math sùbailte is mothachail nach obraich na h-aon chuspairean no na h-aon chruthan ceiste airson a h-uile agallaiche, às bith dè a' chànain anns a bheil iad.[32]

Cha do mhair agallamhan na cloinne ach eadar 10 agus 20 mionaid airson na mòr-chuid. Chuir mi ceistean air na sgoilearan ann an cnapan de chuspairean buntainneach, còig uile-gu-lèir: (1) suidheachadh agus eachdraidh ionnsachaidh na Gàidhlig, (2) seasamhan a thaobh FMG agus na sgoile, (3) beachdan air comasan na cloinne a thaobh na Gàidhlig agus am misneachd, (4) cuspairean ionnsachaidh ceangailte ris a' Ghàidhlig san sgoil, agus (5) tuigse is seasamhan a thaobh na Gàidhlig.

Mhìnich mi don chloinn ro-làimh gun robh mi a' dol gan clàradh (fuaim a-mhàin), ach nach biodh duine ag èisteachd ris a' chlàr ach mi fhìn, nuair a dhèanainn tras-sgrìobhaidhean. B' e aon de na prìomh amasan a bh' agam a bhith a' dèanamh cinnteach gun robh gach sgoilear a' faireachdainn cofhurtail gu leòr tron agallamh. Mar sin, dh'fheuch mi bhon toiseach ri suidheachadh còmhraidh a chruthachadh seach suidheachadh coltach ri deuchainn, gus an robh iad dòigheil bruidhinn rium. Mar bu trice, dh'obraich sin glè mhath agus, gu h-àraidh às dèidh dhomh innse dhaibh nach b' e neach-teagaisg a bh' annam, nach b' e deuchainn a bha sinn a' dol a dhèanamh agus nach b' urrainn dhaibh a bhith ceart no ceàrr leis na freagairtean, bha a' chuid a bu mhotha de na sgoilearan gu math cofhurtail. A bharrachd air na h-oidhirpean sin, leig mi fios dhaibh aig toiseach an agallaimh gum b' urrainn dhuinn stad uair sam bith nan robh iad a' fàs mì-chofhurtail no dìreach feumach air fois.

Mus deach bruidhinn ri pàiste sam bith, chaidh aonta iarraidh air na sgoiltean fhèin an robh iad deònach, mar sgoil, pàirt a ghabhail ann, agus

32 Milroy is Gordon 2003, 61.

chaidh litrichean a-mach do na pàrantan an uair sin cuideachd, ag iarraidh cead sgrìobhte às leth na cloinne. Air an aon fhoirm, bha cothrom aig na pàrantan an t-ainm aca fhèin a chur sìos nan robh iad fhèin deònach agallamh a dhèanamh còmhla rium cuideachd. Cha deach agallamh sam bith a chumail mus robh cead agam fhìn no aig an sgoil.

A bharrachd air agallamhan le sgoilearan, chùm mi feadhainn le dithis luchd-teagaisg anns gach sgoil (16 uile-gu-lèir) agus ri ceathrar phàrant anns gach àite (32 uile-gu-lèir). Bha mi airson am prìomh fhòcas a chumail air beachdan na cloinne fhèin, ach, aig an aon àm, bha mi ag iarraidh fiosrachadh bho phàrantan is luchd-teagaisg an ìre mhath air na h-aon cheistean, airson a bhith cinnteach gun d' fhuair mi dealbh cho slàn is a ghabhadh den t-suidheachadh. A bharrachd air sin, chuidich freagairtean nan inbheach aig amannan ann a bhith a' faighinn a-mach dè cho fìrinneach is fìorachail 's a bha freagairtean na cloinne. A thaobh sgrùdaidh air seasamhan cànain nan sgoilearan, bha e cudromach cuideachd beachdan cànain nan dearbh inbheach a chluinntinn a bhiodh a' bruidhinn ris a' chloinn mun chuspair sin, is a bha nam prìomh fhios a-steach dhaibh a thaobh sheasamhan mu choinneimh na Gàidhlig. Bha ceangal ga shealltainn gu tric eadar an seòrsa fios a-steach a fhuair na sgoilearan agus am fios a-mach[33] a chunnaic mi tro na h-agallamhan leotha.

Chùm mi agallamhan an luchd-teagaisg uile-gu-lèir anns a' Ghàidhlig. B' e sin an taghadh nàdarrach a bh' ann seach gun robh iad uile a' teagasg na Gàidhlig mar chuspair air neo chuspairean eile tro mheadhan na Gàidhlig. A bharrachd air sin, thug an suidheachadh cànanach sin an cothrom dhomh a bhith a' faicinn dè an seòrsa fios a-steach a gheibheadh na sgoilearan bhon luchd-teagaisg ann an da-rìribh, a thaobh ìre fileantachd ann an Gàidhlig.[34] Bha cùisean beagan eadar-dhealaichte am measg phàrant. Rinn mi a' mhòr-chuid de dh'agallamhan nam pàrant ann an Gàidhlig, ach bha cothrom aca a' chànain a thaghadh air neo a h-atharrachadh tron agallamh, a rèir na bha cofhurtail dhaibh. Seach nach do rinn mi sgrùdadh air an cuid sgilean cànain co-dhiù, bha e na bu chudromaiche dhomh fiosrachadh mionaideach air na ceistean fhaighinn, mar chùl-fhiosrachadh air beachdan is freagairtean na cloinne fhèin. Ge-tà, dh'fheumadh a h-uile agallaiche nam measg a bhith fileanta gu leòr sa Ghàidhlig gus am b' urrainn dhaibh ceistean mu shusbaint ionnsachaidh a fhreagairt. Mar eisimpleir, chaidh iarraidh air na pàrantan measadh a dhèanamh air sgilean Gàidhlig na cloinne, sgilean an luchd-teagaisg agus air cuspairean teagaisg msaa. Cha bhiodh e air a bhith comasach am fiosrachadh cudromach

---

33 fios a-mach 'output'.

34 Airson tuilleadh fiosrachaidh air beachdan an luchd-teagaisg air an dreuchd aca fhèin ann am FMG, a bharrachd air a bhith a' teagasg cànain is chuspairean, agus air ideòlas ann an sgoiltean/aonadan Gàidhlig, faic NicLeòid et al. 2015.

sin a chruinneachadh bhuapasan mura robh Gàidhlig sam bith no glè bheag de Ghàidhlig aca.

B' e fios-fhaireachdainn fìor inntinneach a bh' agam nuair a bha mi ag obair anns na diofar sgoiltean fhèin agus fiù 's mus deach mi ann. Leis gur e stèidheachdan[35] gu math trang a th' ann an sgoiltean san fharsaingeachd, cha robh e an-còmhnaidh furasta a bhith ann an conaltradh ri ceannardan is luchd-teagaisg gus faighinn a-mach am biodh iad deònach obair còmhla rium san rannsachadh sa chiad dol-a-mach. Cuideachd, mhothaich mi gun robh cuid de na sgoiltean air a bhith an sàs ann am mòran phròiseactan rannsachaidh air FMG mar-thà, is gun robh iad rud beag sgìth de bhith a' dèiligeadh ri neach-rannsachaidh eile. Ach aon uair is gun robh mi air aonta fhaighinn bho sgoiltean gu leòr agus gun robh cuideigin agam anns gach àite a chuidicheadh mi le bhith a' cur litrichean do phàrantan, a' bruidhinn ri luchd-teagaisg a bhiodh deònach pàirt a ghabhail agus le bhith a' cur cheann-là is chlàran-ama air dòigh, cha mhòr nach do ghluais cùisean air adhart glè mhath anns a h-uile àite.

Bha cuid de na sgoiltean mìorbhaileach fhèin taiceil agus fosgailte don phròiseact agam, chun na h-ìre is gun robh a h-uile càil air a chur air dòigh gu mionaideach mus do nochd mi fiù 's aig an sgoil: liosta de sgoilearan le cead, àite freagarrach airson nan agallamhan a chumail, clàr-ama airson nan sgoilearan a rèir cuin a b' urrainn dhaibh an clas fhàgail airson agallamh de dh'fhichead mionaid, liosta le ainmean phàrant a bha airson pàirt a ghabhail is an àireamhan-fòn agus ainmean luchd-teagaisg a dhèanadh agallamh còmhla rium cuideachd. Ann an sgoiltean eile, cha robh cùisean an-còmhnaidh cho sgiobalta. Aig amannan, cha deach na litrichean-cead a chur a-mach do na pàrantan gu latha no dhà mus do nochd mi aig an sgoil, a' ciallachadh nach robh ach dhà no trì air tilleadh ron latha sin. Ach mar fhuasgladh air suidheachaidhean de leithid, bhiodh, mar eisimpleir, cuideigin bhon sgoil a' cur fòn gu diofar phàrantan, gus cead fhaighinn do chlann gu leòr airson agallamhan a dhèanamh. Ged a bha agam ri tilleadh do sgoil no dhà no ri fuireach timcheall latha na b' fhaide na bha mi an dùil, dh'obraich a h-uile càil mu dheireadh thall, is fhuair mi àireamh àrd gu leòr de dh'agallamhan le clann, luchd-teagaisg agus pàrantan anns gach sgoil.

Ged nach eil e comasach dhomh na sgoiltean fhèin ainmeachadh air adhbharan dìomhaireachd, 's urrainn dhomh innse gum b' e diofar sheòrsaichean de sgoiltean a bh' annta a thaobh cothromachadh eadar a' Ghàidhlig agus a' Bheurla: sgoiltean Beurla le aonad Gàidhlig air neo sgoiltean Gàidhlig/sgoiltean

---

35 stèidheachdan 'institutions'.

far an robh am fòcas air a' Ghàidhlig barrachd na air a' Bheurla. Fhuair mi faireachdainn beagan eadar-dhealaichte anns a h-uile àite, ach b' e iongnadh a bh' ann an cuid de na sgoiltean le aonad Gàidhlig a-mhàin gun robh a' Ghàidhlig a' faireachdainn mar phàirt cudromach stèidhichte sna sgoiltean sin, agus gu math nàdarrach ri taobh na Beurla.

Chaidh a' mhòr-chuid de na h-agallamhan fìor mhath agus bha e spòrsail a bhith a' bruidhinn ris a' chloinn is ag èisteachd ris na sgeulachdan is beachdan aca. Bhiodh cuid a' cumail am freagairtean glè ghoirid, far an robh sin comasach, fhad 's a bhiodh cuid eile uabhasach mionaideach agus fiù 's ag innse sgeulachdan ceangailte (mar bu trice!) ris na freagairtean aca. Dh'ionnsaich mi gu math luath far an robh laigsean sna ceistean agam a thaobh tuigse no soillearachd, ach bhithinn ag ràdh do gach pàiste aig toiseach an agallaimh gum bu chòir dhaibh stad a chur orm is faighneachd nan robh ceist a' nochdadh nach do thuig iad. Gu fortanach, rinn mòran cloinne sin ann an da-rìribh agus, mar sin, b' urrainn dhomh na ceistean no cainnt nan ceistean atharrachadh beagan san agallamh sin fhèin agus, cuideachd, anns a h-uile fear às dèidh sin. Tha cuimhne agam air aon sgoilear a bha fìor mhionaideach, is cha chanadh i càil mus robh i buileach cinnteach dè bha mi ag iarraidh sa cheist agus dè cho farsaing no mionaideach 's a dh'fheumadh an fhreagairt a bhith. Dh'fhaighnich i mu 10 tursan ann an diofar phàirtean tron agallamh 'Dè tha thu a' ciallachadh leis a' cheist seo?', ach, air an dòigh sin, dh'ionnsaich mi mòran a thaobh foighidinn agus cho torrach 's as urrainn dhi a bhith. Aig amannan eile, nochdadh mì-thuigse sa chòmhradh fhèin: bha ceist san agallamh (sa chiad phàirt), far an robh aig a' chloinn ri ainmeachadh, mar eisimpleir, cò na daoine ris am bruidhneadh iad a' Ghàidhlig mar a b' àbhaist. Thòisich aon sgoilear air duine no dithis ainmeachadh an sin, ach gu math slaodach is le stadan. Dh'fhuirich mi greiseag, airson ùine gu leòr a thoirt dhi a bhith a' smaoineachadh agus, an uair sin, thuirt mi, 'Sin e?', airson a bhith cinnteach gun robh i ann an da-rìribh deiseil. Thuig am pàiste sin ann an dòigh eadar-dhealaichte, a' smaoineachadh gun robh an t-agallamh fhèin seachad mar-thà (às dèidh mu 3 mionaidean)! Thuirt i, 'Ò, uill. Tapadh leibh, ma-thà', a' dèanamh deiseil airson falbh, agus cha mhòr nach robh i a-mach an doras mus d' fhuair mi cothrom a ràdh, 'Fuirich, fuirich ...'

Ged a bha cuid de na sgoilearan rudeigin diùid an toiseach, dh'fhàs a' mhòr-chuid dhiubh cofhurtail gu math luath agus, mar bu trice, bha iomadh mòmaid againn tron agallamh leis an dithis againn a' gàireachdainn còmhla. Am measg na cloinne a bha fìor mhisneachail sa h-uile dòigh, bha feadhainn ris an do chòrd e cho mòr a bhith a' bruidhinn gun robh e duilich aig amannan stad a chur orra a thaobh an aon chuspair, is an stiùireadh air ais mean air mhean do na ceistean – ged a bhiodh iadsan air a bhith dòigheil bruidhinn fad leth-uair a thìde eile. Le sgoilear no dithis aig ìre na h-àrd-sgoile chaidh cùisean buileach an rathad eile, agus bhiodh *attitude* orra, agus e coltach gun robh iad an aghaidh a h-uile càil san fharsaingeachd agus, gu deimhinne, nach robh iad airson fiù 's aon fhacal a bharrachd a chleachdadh na dh'fheumadh iad. Ach, mar a thuirt aon neach-teagaisg rium, cha robh an fhaireachdainn sin dìreach ceangailte ri bhith a' bruidhinn na Gàidhlig:

Ach feumaidh sinn cuideachd gabhail ris nach eil deugairean, fhios 'ad, feadhainn de dheugairean, cha bhruidhinn iad Beurla [nas motha], cha bhi iad a' dèanamh ach fèir *grunt*! (NT-11-AS)

Ghabh mi ris, ma-thà, nach robh an seòrsa seasaimh sin a' ciallachadh gun robh iad an aghaidh na Gàidhlig gu sònraichte, no gum b' e an t-agallamh fhèin a bha gam fàgail diombach.

Cha robh duilgheadas sam bith ann leis an luchd-teagaisg anns na h-agallamhan, agus bha coltas air a' chuid a bu mhotha dhiubh gun robh iad dòigheil gabhail ris a' chothrom a bhith a' bruidhinn air FMG, air an obair aca ann agus air adhartas agus ionnsachadh na cloinne. Am measg nam pàrant, bha feadhainn ann air an robh coltas iomagaineach an toiseach, leis nach robh iad buileach cinnteach dè bha romhpa. Bha sin fìor gu h-àraidh airson nan agallamhan a bh' agam ri cumail air a' fòn: cha robh cothrom ann bruidhinn ris a h-uile duine fhad 's a bha mi anns na sgoiltean fhèin, agus b' e am fòn an aon dòigh a bhith a' cumail nan agallamhan sin às dèidh làimh. Bha sin duilich do chuid an toiseach, a bhith a' bruidhinn rium air a' fòn gun a bhith eòlach orm gu pearsanta, agus mise gan clàradh cuideachd. Ge-tà, fhuair iad seachad air an duilgheadas sin gu luath – a-rithist, tro bheagan còmhraidh mhì-fhoirmeil an toiseach.

BUANNACHDAN IS DÙBHLANAN ANN AN RANNSACHADH LE CLANN

Tha diofar mòr eadar a bhith a' dèanamh rannsachadh còmhla ri clann seach inbhich san fharsaingeachd.[36] Fhuair mi beagan eòlais air an t-suidheachadh sin ron phròiseact seo, bhon àm a ghabh mi rannsachadh cànanach os làimh sa phròiseact *Air Iomlaid* (2009/2010). B' ann an uair sin a dh'ionnsaich mi gu pragtaigeach mu dhiofar mhodhan obrach a bhios a dhìth ann an conaltradh is obair agallaimh le clann. Feumaidh luchd-rannsachaidh gabhail ris nach smaoinich clann san fharsaingeachd sna h-aon dòighean agus structaran ri inbhich. Tha nithean eadar-dhealaichte cudromach dhaibh, agus tha e coltach gun dèan iad ciall nam beatha a rèir nan nithean sin seach a rèir structaran ciallach agus neo-phàirteil. Le sin, faodaidh e tachairt gum bi beachdan acasan

---

36 Tisdall et al. 2009, Gallagher 2009, 67.

a bhios glè dhiofraichte bho inbhich, a thaobh na tha 'fìor' a' ciallachadh sa chiad dol a-mach.[37]

Glè thric, cha bhi clann a' faicinn co-àicheadh[38] eadar dà ràdh a nì iad idir, ged a bhiodh na ràdhan sin a' dol an aghaidh a chèile. An àite loidsig agus tuigse fharsaing a shireadh, nì iad ciall dhaibh fhèin ann an co-theagsaichean fa leth, agus ma chanas iad 'Tha x cudromach' aon mhionaid, ach 'Chan eil x cudromach' an ath mhionaid, cha leig sin a leas a bhith connspaideach dhaibh idir.

A thaobh nan agallamhan fhèin, bha coltas ann san fharsaingeachd gun robh a' chlann gu math fìrinneach agus dìreach sa chòmhradh, fiù 's ged a bhiodh sin aig amannan a rèir na tuigse aca fhèin air an fhìrinn. B' e aon de na buannachdan a bu mhotha a bh' ann an togail dàta bho na sgoilearan fhèin gun robh a' mhòr-chuid dhiubh gu math onarach nam freagairtean – bho àm gu àm na b' onaraiche na bha mi ag iarraidh no a' sùileachadh. Bha sin a' ciallachadh gun d' fhuair mi dàta air FMG à teis-meadhan na cùise, agus bho dhaoine nach robh a' smaoineachadh air na bhiodh iomchaidh a ràdh agus daoine nach biodh a' cur bacadh air na beachdan aca fhèin ann an dòighean eile, mar a bhios inbhich a' dèanamh gu tric.

BARRACHD AIR CEIST NA 'FÌRINNE'

Bho thaobh an dà chuid cloinne is inbheach, tha mi mothachail gum faod cuid den fhiosrachadh a chaidh a thogail tro na h-agallamhan a bhith taobhach gu ìre, leis gun do dh'fhaighnich mi mu chùisean ann an co-theagsa pearsanta. Chan e trioblaid a tha sin ann an rannsachadh càileachdail ge-tà: daingnichidh seo dìreach gu bheil seallaidhean eadar-dhealaichte aig diofar dhaoine air an aon chùis, ged a bhios a h-uile aon dhiubh a' smaoineachadh gur e an 'fhìrinn' a th' aca. Cuideachd, chan eil e fa-near do dhuine ann an rannsachadh càileachdail

---

37 Mar a mhìnich mi na bu tràithe, bha mi an sàs ann an teagasg Karate tro Ghàidhlig fad bhliadhnaichean (clann agus inbhich), agus aig àm nan agallamhan bha còignear sgoilear bhon bhun-sgoil ionadail a' trèanadh còmhla rium. Nochd ceathrar de na sgoilearan sin sna h-agallamhan rannsachaidh, agus nuair a dh'fhaighnich mi dhaibh an robh cothroman aca san sgìre an cuid Gàidhlig a chleachdadh air taobh a-muigh na sgoile, cha do dh'ainmich gin dhiubh a' bhuidheann Karate, ged a bha iad air a bhith an sàs ann fad mu dhà bhliadhna aig an àm. 'S ann an uair sin a mhothaich mi slatan-tomhais 'fìrinne' eadar-dhealaichte: cha dèanadh iad an aon seòrsa sgaraidh eadar tachartasan sgoile agus tachartasan coimhearsnachd air taobh a-muigh na sgoile, ach bha ceangal na bu làidire, nam beachd-san, eadar gnothaichean na sgoile agus Gàidhlig, is bhiodh tachartas Gàidhlig sam bith air fhaicinn mar phàirt dem beatha sgoile, ged a ghabhadh e àite sa choimhearsnachd.

38 co-àicheadh 'contradiction'.

nàdar de 'dh'fhìrinn neo-phàirteil' a thogail, ach 's ann às na diofar bheachdan, thoraidhean agus bhuaidhean a gheibhear an t-susbaint.[39]

Thèid mi tro dhiofar phuingean timcheall air 'fìrinneachd susbaint'[40] a thaobh nan agallamhan an-dràsta. Sa chiad dol-a-mach, 's e cunnart a dh'fhaodas a bhith ann leis an dà bhuidhinn, clann is inbhich, gum feuch iad ri obrachadh a-mach dè bhios an neach-rannsachaidh airson cluinntinn agus gum freagair iad a rèir sin seach a rèir nan smaointean is nam beachdan aca fhèin. Airson an trioblaid sin a sheachnadh am measg na cloinne, lean mi an ro-innleachd gun deach gach prìomh cheist fhaighneachd iomadh turas tron agallamh, ann an diofar chruthan. Air an dòigh sin, bha mi mothachail far nach robh a' chlann leantainneach nan cuid fhreagairtean, is b' urrainn dhomh dèiligeadh ris an t-susbaint gu faiceallach an uair sin.

Glè thric, bha e furasta gu leòr mothachadh nuair nach robh sgoilear cinnteach dè bha còir aca a ràdh, mar eisimpleir, ann a bhith a' freagairt ceist a bha beagan connspaideach. Bhiodh iad sàmhach airson greis, a' coimhead gu math mì-chinnteach is rud beag mì-chofhurtail. Chuidich e an uair sin a bhith ag innse dhaibh a-rithist nach robh freagairt cheart no cheàrr ann is gum b' urrainn dhaibh rud sam bith a thogradh iad a ràdh. Dhaingnich mi, aig amannan, gu mionaideach gum b' fheàrr leam freagairt gu tur onarach, ged nach biodh i coileanta no ealanta seach ath-aithris air rudeigin a bha iad an dùil a bhiodh tidsear no pàrant ag iarraidh orra a ràdh. Cuideachd, chuir mi nan cuimhne gun robh an còmhradh sin eadar an dithis againn, agus nach nochdadh an cuid ainmean ceangailte ri fiosrachadh sam bith às an agallamh. Tron dòigh obrach sin, thàinig atharrachadh air a' mhòr-chuid dhiubh sa bhad, agus dh'fhairich mi gun d' fhuair mi freagairtean gu math fosgailte is onarach an uair sin.

Bha e beagan eadar-dhealaichte dèiligeadh ri ceist na fìrinneachd am measg phàrant. Aig amannan, bha coltas ann gun do smaoinich cuid dhiubhsan ro-làimh air na bu chòir dhaibh a ràdh, gus nach nochdadh iad fhèin no an teaghlach ann an droch cliù. Far nach robh mi buileach cinnteach às na freagairtean, chuir mi dìreach barrachd cheistean orra, timcheall air an aon chuspair, feuch an dèanadh na freagairtean fhathast ciall an uair sin no an tigeadh diubhair[41] am bàrr.

Cha robh coltas ann gun do chuir an t-inneal-clàraidh dragh air duine, clann no inbhich, ach bha mi mothachail bhon toiseach gum faodadh e diofar adhbharachadh do na h-agallaichean san fharsaingeachd gun deach an clàradh tron chòmhradh.

---

39 Faic Lewis is Ritchie 2003, 269.
40 fìrinneachd susbaint 'truthfulness of content'.
41 diubhair 'discrepancy'.

STRUCTAR AN LEABHAIR AGUS NA PRÌOMH CHEISTEAN A THÈID A THOGAIL ANN

Anns an leabhar seo fhèin, chan eil mi a' dol a ghabhail a-steach a h-uile ceist rannsachaidh ris an robh mi a' dèiligeadh san tràchdas PhD agam. Às na prìomh cheistean a chaidh a thaisbeanadh aig toiseach an ro-ràdh seo, tha e fa-near dhomh sùil mhionaideach a thoirt air na leanas:

(1) misneachd na cloinne anns a' Ghàidhlig

(2) seasamhan nan sgoilearan mu choinneimh na Gàidhlig agus an cuid bheachdan is fhaireachdainnean mu choinneimh FMG

(3) tuigse na cloinne air a' chànain (eachdraidh/cultar, adhbhar/feum FMG, feum na Gàidhlig gu farsaing)

Às dèidh dhomh a dhol thairis air toraidhean nan ceistean sin, bheir mi sùil air nas urrainn dhuinn ionnsachadh bho na toraidhean sin, gu h-àraidh a thaobh buannachdan agus duilgheadasan FMG is mar a ghabhas an leasachadh san àm ri teachd.

2. Toraidhean an rannsachaidh

2.1 Misneachd nan sgoilearan mu choinneimh na Gàidhlig

Fhad 's a bha mi ag obair air taghadh nan cuspairean a bha mi airson togail agus cnuasachadh anns na h-agallamhan, b' i aon de na ceistean a bu mhotha a bh' agam ciamar a tha a' chlann fhèin a' faireachdainn ann am FMG? Thàinig e a-steach orm gur dòcha gum biodh buaidh, mar eisimpleir, aig ìre sgilean Gàidhlig na cloinne air cho cofhurtail is a bha iad a' faireachdainn san sgoil bho latha gu latha. Am biodh diofar mòr eadar luchd-ionnsachaidh FMG[1] agus clann aig an robh a' Ghàidhlig bho thùs? An robh iad toilichte agus cofhurtail leis an t-suidheachadh ionnsachaidh shònraichte aca air neo an robh duine sam bith den bheachd gun do chuir duilgheadasan agus dì-mhisneachd ceangailte ris a' mheadhan teagaisg bacadh orra nan ionnsachadh? Tha e air leth cudromach do chlann a bhith a' faireachdainn misneachail a thaobh ionnsachadh san fharsaingeachd agus gu h-àraidh ann am foghlam tro mheadhan cànain nach robh aca bho thùs, oir, mura bi misneachd gu leòr aca, cha bhi iad deònach no toilichte a' chànain fheuchainn ann an diofar cho-theagsaichean, pròiseactan is suidheachaidhean, ged a bhiodh sin cho riatanach is feumail don adhartas aca ann a bhith a' togail na cànain is a' leasachadh an cuid sgilean innte gu cunbhalach. A bharrachd air gu bheil e taiceil do sgoilear sam bith ma tha fios-fhaireachdainnean dòigheil is cofhurtail aca san sgoil, bhiodh faireachdainnean den t-seòrsa sin gan cuideachadh cuideachd le bhith a' toirt a h-uile càil a dh'ionnsaich iad a-mach às an sgoil is ga chur gu feum ann an raointean eile dem beatha, gun dragh no mì-chinnt a bhith orra.

Anns a' chaibideil seo, bidh mi a' dèiligeadh ris an t-seòrsa misneachd a bha ga seulltainn am measg nan sgoilearan a thaobh a bhith a' cleachdadh na Gàidhlig. Airson fiosrachadh a chruinneachadh air sin, chuir mi diofar cheistean air na sgoilearan fhèin (àrd-sgoil agus bun-sgoil), agus dh'fhaighnich mi cuideachd do phàrantan is luchd-teagaisg mu cho misneachail is a bha a' chlann mu choinneimh na Gàidhlig nam beachd-san. Air an dòigh sin, fhuair mi fiosrachadh bho sheallaidhean agus daoine eadar-dhealaichte, agus bha sin air leth feumail airson tuigsinn cò ris a tha an suidheachadh coltach.

Gus faighinn a-mach cho misneachail is a bha a' chlann leis a' Ghàidhlig, dh'fhaighnich mi dhaibh an toiseach ciamar a bha iad a' faireachdainn mun cuid Gàidhlig agus an robh iad cofhurtail bruidhinn air cha mhòr cuspair sam bith innte. Leis a' cheist sin, bha mi ag amas air an dà chuid misneachd agus comasan cànain na cloinne mar a bha iad fhèin gam faicinn. An uair sin, chuir

---

1 Clann a thog a' Ghàidhlig tro stèidheachdan sgoile (sgoil-àraich, bun-sgoil msaa) mar dhàrna cànain (C2), le bhith air an teagasg tro mheadhan na cànain (seach a bhith ga h-ionnsachadh mar chuspair).

mi ceistean a bharrachd orra air mar a bha iad a' faireachdainn mu bhith a' cleachdadh na Gàidhlig an taca ris a' Bheurla. Bha mi airson faighinn a-mach dè cho cofhurtail agus misneachail is a bha iad a thaobh an sgilean Gàidhlig san fharsaingeachd agus, cuideachd, an robh diofar glè mhòr dhaibh eadar an dà chànain.

Bha mi mothachail air an t-suidheachadh san robh mi mar neach-rannsachaidh, agus gun robh sgrùdadh na ceist stèidhichte air beachdan sgoilearan (agus dhaoine eile) agus, mar sin, gum faodadh e a bhith taobhach no gun a bhith buileach fìorachail. Ge-tà, ghabh mi ris gun robh a' chlann aig aois far am b' urrainn dhaibh a chur an cèill mar a bha iad a' faireachdainn mun Ghàidhlig agus an robh e duilich dhaibh no a' cur dragh orra a bhith ga bruidhinn. A rèir choltais, dh'obraich an dòigh dèiligidh sin glè mhath, air sgàth 's gun robh dà fhactar ann a chuidich mi ann a bhith ag obrachadh a-mach cho fìrinneach is a bha a' chlann. Air an dàrna làimh, bha beachdan luchd-teagaisg agus phàrantan agam air an aon cheist agus, air an làimh eile, b' urrainn dhomh faicinn sa chòmhradh fhèin ris gach pàiste an robh iad ann an da-rìribh cho misneachail sa Ghàidhlig is a chùm iad a-mach, no an robh e follaiseach gun robh e duilich is mì-chofhurtail dhaibh fiù 's an t-agallamh a chumail anns a' Ghàidhlig.

SEALLADH NAN SGOILEARAN (BS) AIR MISNEACHD

Nuair a dh'fhaighnich mi do na sgoilearan (40 uile-gu-lèir aig ìre na bun-sgoile) ciamar a bha iad a' faireachdainn mun cuid Gàidhlig agus an robh iad cofhurtail bruidhinn air cha mhòr cuspair sam bith innte, thuirt àireamh bheag de chlann gun robh iad a' faireachdainn gu tur fileanta anns a' Ghàidhlig, a thaobh an dà chuid chuspairean prìobhaideach agus cuspairean na sgoile, oir bha iad cleachdte ri bhith ga bruidhinn san sgoil agus aig an taigh. A rèir na feadhna sin, cha robh cuspairean ann a bhiodh gu sònraichte doirbh dhaibh anns a' Ghàidhlig no a chuireadh dragh no dì-mhisneachd orra.

A bheil thu a' faireachdainn gun urrainn dhut bruidhinn mu dheidhinn rud sam bith ann an Gàidhlig, no a bheil rudeigin ann a bhiodh doirbh?
Uill, chan e cànan, chan eil sìon doirbh, ach, .. *no*, chan eil sìon doirbh ann, chan eil dad sam bith doirbh ann. (Sg-02-BS)[2]

Agus ciamar a tha thusa a' faireachdainn mu dheidhinn do chuid Gàidhlig?
A bheil thu a' faireachdainn gun urrainn dhut bruidhinn mu dheidhinn

---

2 Mìneachadh nan tras-sgrìobhaidhean: Sg 'sgoilear', P 'pàrant', NT 'neach-teagaisg', BS/AS 'bun-sgoil/àrd-sgoil', … 'stad', .. 'fuaim' ('em, mm' msaa), […] 'Chaidh pìos fhàgail às', [faca(i)l] 'Chaidh faca(i)l a chur ris', *clò Eadailteach* 'facail Bheurla ann an aithris Ghàidhlig nan agallaichean'.

*a h-uile càil a tha thu ag iarraidh, no a bheil cuspairean ann a tha caran
doirbh?*

Tha mi a' smaoineachadh gun urrainn dhòmhsa *kind of* bruidhinn,
airson dh'ionnsaich mise bhon a bha mi, bhon a bha mi air mo bhreith,
dìreach a' chiad fhacal! Bha mise, a' chiad turas a thòisich mise bruidhinn,
's e dìreach Gàidhlig a bh' ann. Cha robh Beurla agamsa gu, 's dòcha, clas
a dhà no, 's dòcha, faisg air ceithir. (Sg-11-BS)

Gu h-inntinneach, bha aon sgoilear nam measg a rinn iomradh air an sgoil mar
an aon àite far am biodh i a' cluinntinn na Gàidhlig agus, a dh'aindeoin sin,
dh'fhairich i glè chofhurtail sa chànain air sgàth na dh'ionnsaich i san sgoil:[3]

*A bheil thu a' faireachdainn gun urrainn dhut a h-uile càil a ràdh anns a'
Ghàidhlig a tha thu ag iarraidh a ràdh?*

Tha! Tha e furasta airson tha mi ann an clas sia a-nis. *So* tha mar seachd
bliadhnaichean de Ghàidhlig air a bhith agam, *so* tha e furasta.
(Sg-19-BS)

Tha an fhreagairt sin a' sealltainn an t-seòrsa misneachd a dh'fhaodadh clann
fhaighinn tron sgoil, gus an ìre far am bi iad a' faireachdainn gu bheil a' chànain
gu tur nàdarrach dhaibh nam beatha, ged as e an sgoil an aon tobar air a son
agus an aon àite far an cleachd iad gu cunbhalach i.

Thuirt triùir sgoilearan (à diofar sgìrean) gun robh iad cofhurtail a bhith a'
bruidhinn na Gàidhlig san fharsaingeachd, agus chuala mi bho 13 cloinne gun
robh iad dòigheil gu leòr leis a' Ghàidhlig, ged nach biodh fios aca air a h-uile
facal is gum feumadh iad cuideachadh bhon luchd-teagaisg airson sin. Thuirt
a' chuid a bu mhotha sa bhuidhinn sin gun robh iad ceart gu leòr le iomadh
cuspair, ach dìreach gum biodh briathran a dhìth uaireannan:

Uaireannan, chan eil fhios agam air ... air .. faclan, ach tha fhios agam air
tòrr tòrr faclan ... as urrainn mi ag ràdh. (Sg-12-BS)[4]

*[A] bheil thu a' smaointinn gum faodadh tu bruidhinn mu dheidhinn rud
sam bith ann an Gàidhlig?*

---

3 Ann an iomraidhean nan agallamhan thèid a h-uile neach a riochdachadh gu gramataigeach
mar 'bhoireann', gus dìomhaireachd nan agallaichean a ghleidheadh. Air an aon adhbhar, chan
eil na h-àireamhan mu choinneimh gach agallaiche ann an òrdugh no ceangailte ri sgoil/sgìre
shònraichte.

4 Aithnichidh an leughadair diofar mhearachdan ann an iomraidhean na cloinne tron leabhar
air fad, ach, mar a mhìnich mi anns an ro-ràdh, chan eil mi a' dol a dhèiligeadh ri sin an seo.
Tha mi airson daingneachadh, ge-tà, gun deach a h-uile càil a thras-sgrìobhadh dìreach mar
a chaidh a ràdh sna h-agallamhan, gun atharrachadh sam bith a dhèanamh, mar eisimpleir, a
thaobh gràmair.

Uaireannan, 's urrainn dhomh, ach nuair a tha mi a' bruidhinn ri daoine, chan eil cuimhne agam air am facal ann an Gàidhlig. (Sg-40-BS)

Agus a bheil sin furasta gu leòr dhutsa, no a bheil e doirbh aig amannan? *No*, tha e dìreach ceart gu leòr! Uaireannan, mar am facal, ma tha mi a' *rush*adh e, bidh mi dìreach mar a' diochuimneachadh dè tha mi a' dol a dhèanamh is rudan mar sin. (Sg-19-BS)

Tha coltas ann gu bheil mòran sgoilearan aig an ìre is gum fairich iad ceart gu leòr a bhith a' bruidhinn na Gàidhlig, ged a bhios iad mothachail bho aois gu math òg gu bheil iad feumach air beagan a bharrachd cuideachaidh innte na tha iad anns a' Bheurla. Tha e inntinneach faicinn, ge-tà, nach eil sin a' cur cus dragh air a' mhòr-chuid de na sgoilearan is gu bheil iad a' gabhail ris gur ann mar sin a tha an suidheachadh ionnsachaidh aca anns a' Ghàidhlig.[5] Leudaich aon sgoilear am beachd sin, a' cantainn nach robh e a' cur dragh oirre na bu mhotha còmhradh a leantainn sa Ghàidhlig, gun a bhith a' tuigsinn a h-uile càil, le bhith a' tomhas na bha daoine ag ràdh:

Yeah, 's urrainn mi bruidhinn mu dheidhinn tòrr rudan, dìreach nuair a tha sinn a' bruidhinn mu dheidhinn, nuair a tha iad a' bruidhinn mar, *conversation, a Gaelic conversation*, agus chan eil fhios agam dè .. tha iad a' bruidhinn mu dheidhinn, tha mi a' canail, .. *So*, .. tha mi *sort of, sort of*, dìreach, tha mi a' cluinntinn bho cuideigin, is an uair sin tha mi, *sort of guess*adh dè tha e a' bruidhinn mu dheidhinn, is an uair sin, tha mi *sort of* dìreach a' canail rudeigin is *join*eadh *in* le an *conversation*. *So* chan eil e *really* a' cur dragh orm. (Sg-33-BS)

'S e an trioblaid a bu mhotha a dh'ainmich a' chlann a bhith a' cur chùisean an cèill gu mionaideach anns a' Ghàidhlig. Dh'innis cuid dhomh gun d' fhuair iad cuid de na cuspairean san sgoil duilich agus gun robh e doirbh dhaibh briathrachas pongail is iomchaidh a chleachdadh an uair sin. Tha an aon rud fìor a thaobh briathran spèisealta a thuigsinn a chleachdas an luchd-teagaisg.

... [T]ha cuspairean doirbh ann an Gàidhlig. .. An cànan Gàidhlig, tha e doirbh. (Sg-36-BS)

Tha an trioblaid seo nas cumanta anns a' Ghàidhlig, leis nach fhaigh clann an uiread fios a-steach anns a' Ghàidhlig 's a gheibh iad anns a' Bheurla, gu làitheil, tro dhaoine, leabhraichean, tachartasan, cur-seachadan, ceòl agus tro na meadhanan san fharsaingeachd, gu h-àraidh TBh, agus an t-Eadar-lìon. Aig an aon àm, tha e follaiseach gum feum clann FMB aig ìre na bun-

5 Faic O' Rourke 2011, Ó Duibhir 2009.

sgoile briathrachas ùr a thogail ceangailte ris gach cuspair ùr cuideachd, ach bidh iadsan air an cuairteachadh le mòran a bharrachd fios a-steach cunbhalach anns a' Bheurla (tro na tùsan a chaidh ainmeachadh mar-thà) na bhios clann FMG a thaobh na Gàidhlig, agus cuidichidh sin an suidheachadh ionnsachaidh.

Fhuair mi eisimpleir inntinneach ceangailte ri sin nuair a thog aon sgoilear a' phuing gum biodh e duilich dhi bruidhinn air cuspairean a leithid poileataigs anns a' Ghàidhlig. Lean mi am beachd sin le bhith a' faighneachd ciamar a bhiodh an cuspair seo dhi tro mheadhan na Beurla, agus dh'aidich i sa bhad gum biodh sin duilich cuideachd. Chithear an sin gum b' e an cuspair fhèin a bha doirbh don sgoilear sin sa chiad dol-a-mach, a thaobh susbaint agus briathrachais, ann an cànain sam bith, agus nach b' e duilgheadas gu sònraichte ceangailte ris a' Ghàidhlig a bh' ann.

> *Agus ciamar a tha thusa a' faireachdainn mu dheidhinn do chuid Gàidhlig? A bheil thu a' faireachdainn gun urrainn dhut a h-uile càil a ràdh anns a' Ghàidhlig a tha thu ag iarraidh a ràdh?*
> Uaireannan, ma tha mar ... cuideigin a' bruidhinn mu dheidhinn rudan mar poileataigs, chan eil sinn a' tuigse, ach tha sinn a' tuigse tòrr .. tòrr, a' mhòr-chuid de rudan.
> *Can le poileataigs is rudan, am biodh tu a' tuigsinn a h-uile càil ann am Beurla ge-tà?*
> Uill, cha bhi, an uair sin, airson aig an, aig an seo, chan e mar poileataigs aon de na *main*-rudan anns an *life*. (Sg-05-BS)

Nuair a dh'fhaighnich mi don chloinn mar a bha iad a' faireachdainn mun cuid Gàidhlig is mu bhith ga bruidhinn, thuirt còignear gun robh iad a' faireachdainn gu tur misneachail sa Ghàidhlig agus cofhurtail a cleachdadh an àite sam bith, ri duine sam bith agus air cha mhòr cuspair sam bith. Thàinig an fheadhainn sin uile às na h-eileanan (an t-Eilean Sgitheanach, Leòdhas, Uibhist).

> *Agus ciamar a tha thusa a' faireachdainn mu dheidhinn do chuid Gàidhlig? A bheil thu a' faireachdainn gun urrainn dhut a h-uile càil a ràdh anns a' Ghàidhlig a tha thu ag iarraidh a ràdh?*
> Tha!
> *... no a bheil cuspairean ann a tha caran doirbh dhutsa?*
> Chan eil mi a' smaointinn. (Sg-25-BS)

Dh'innis dithis eile dhomh gun robh iad mothachail nach robh na sgilean Gàidhlig aca coileanta, ach bha iad ceart gu leòr leis an t-suidheachadh sin is cha robh e gam fàgail dì-mhisneachail ann an dòigh sam bith:

> *Agus ciamar a tha thusa a' faireachdainn mu dheidhinn do chuid Gàidhlig? A bheil thu a' faireachdainn gun urrainn dhut bruidhinn mu dheidhinn rud*

sam bith ann an Gàidhlig, cuspair sam bith, no…?
Yeah, tha. Ach chan eil mi … an duine as fheàrr air Gàidhlig, ach, tha mi
ceart gu leòr. (Sg-21-BS)

Thuig mi bho na freagairtean mar a nì raointean-cleachdaidh cànanach[6]
diofar mòr don chloinn a thaobh misneachd aig amannan. A rèir càite am biodh
iad, dè an co-theagsa agus cò ris a bhiodh iad a' bruidhinn, dh'aidich cuid de
na sgoilearan gum biodh buaidh aig sin air cho misneachail 's a dh'fhairicheadh
iad. Cho fad is a bhiodh an fheadhainn sin a' bruidhinn agus a' cluinntinn
Gàidhlig ann an raointean-cleachdaidh a bha iad an dùil a bhith sa Ghàidhlig,
bhiodh iad misneachail gu leòr agus a' faireachdainn sàbhailte. Ge-tà, chailleadh
iad misneachd ann an suidheachaidhean cànanach nach robhar a' sùileachadh a
bhith sa Ghàidhlig, air neo còmhla ri daoine dom b' àbhaist a' Bheurla a chumail
riutha agus a rachadh a-null don Ghàidhlig. Mar sin, chì sinn buidheann bheag
de chlann a thuirt gun robh iad eadar dà bharail a thaobh misneachd anns a'
Ghàidhlig, is gun robh i aig amannan furasta dhaibh agus aig amannan eile
doirbh, a rèir a' cho-theagsa anns an robh iad.

Chuala mi bho dhithis cloinne gun robh iad a' faireachdainn dì-mhisneachail
sa Ghàidhlig, air sgàth 's gun robh a' chànain duilich dhaibh agus gun robh iad
mothachail air na laigsean aca fhèin innte.

[T]ha daoine an-còmhnaidh a' canail, tha mo Ghàidhlig nas fheàrr na tha
mi a' smaoineachadh, ach tha mi a' smaoineachadh nach, chan eil, tha
mar, *mediocre* Gàidhlig agam. Agus sin *exaggerating* e beagan.
Carson a tha thu a' smaoineachadh sin?
Dìreach, uill, chan eil mi *really* a' faireachdainn gu bheil mi math air. Sin
really e. (Sg-3-BS)

Airson beachd fhaighinn air mar a bha an dà chànain an coimeas ri chèile don
chloinn a thaobh misneachd, dh'fhaighnich mi dhaibh an robh e gu diofar leotha
an robh iad a' bruidhinn anns a' Ghàidhlig no anns a' Bheurla, agus an robh
iad a cheart cho cofhurtail is comasach san dà chànain air neo an robh iad a'
faireachdainn na b' fheàrr anns an aon chànain seach a' chànain eile.

Gu h-inntinneach, thuirt sianar sgoilear gun robh iad na bu chofhurtaile anns
a' Ghàidhlig (ged a bha iad glè chofhurtail anns a' Bheurla cuideachd), air sgàth
's gum b' i a' chiad chànain a thog iad nam beatha. 'S ann a thàinig a' chlann sin
uile à aon de na h-eileanan – Leòdhas, Uibhist no an t-Eilean Sgitheanach – à
coimhearsnachdan le Gàidhlig, agus bhiodh iad ga cleachdadh is ga cluinntinn gu
làitheil, mar phàirt ghnàthach[7] dem beatha.

---

6 raointean-cleachdaidh cànanach 'language domains'.
7 gnàthach 'normal'.

Cò an cànan [...] anns a bheil thu a' faireachdainn nas siùbhlaiche no nas cofhurtaile? An e Gàidhlig no Beurla a th' ann?
Gàidhlig. (Sg-06-BS)

Tha mise a' smaointinn gu bheil a' Ghàidhlig nas fhurasta dhòmhsa, oir nuair a thàinig mi dhan sgoil, cha robh Beurla idir agam. (Sg-38-BS)

Chuala mi bho 19 sgoilearan gun robh iad a' faireachdainn na bu chofhurtaile anns a' Bheurla seach anns a' Ghàidhlig. Am measg nan 11 sgoilear a dh'aithris gun robh iad a cheart cho cofhurtail anns an dà chànain, thàinig sianar à Leòdhas, ceathrar à Uibhist, agus aon sgoilear às an Eilean Sgitheanach – uile à coimhearsnachdan no àrainneachdan a bha gu buileach dà-chànanach.

A bheil thu a' faireachdainn nas cofhurtaile no nas comasaiche anns a' Ghàidhlig no anns a' Bheurla?
Ann am Beurla, tha fhios 'am air tòrr tòrr faclan, agus ann an Gàidhlig, tha tòrr faclan cuideachd, *so*, aig an aon ìre. (Sg-22-BS)

Tha am pàtran seo a' daingneachadh cho mòr is a tha a' bhuaidh aig coimhearsnachd Ghàidhlig air seasamhan agus cleachdaidhean cànain na cloinne. Tha e follaiseach gum bi a' Ghàidhlig a' faireachdainn mòran nas nàdarraiche don chloinn ma bhios iad ga cluinntinn ann an diofar àiteachan timcheall orra, a bharrachd air an t-seòmar-teagaisg a-mhàin.[8] A thuilleadh air sin, bidh àrainneachd le Gàidhlig a' tathann chothroman a bharrachd dhaibh airson a' chànain a bhruidhinn air taobh a-muigh na sgoile, agus bidh sin na chuideachadh airson an cuid sgilean anns a' Ghàidhlig a ghleusadh. Mar sin, chan eil e na iongnadh gum b' iad clann à àrainneachdan le gu leòr Gàidhlig a bha a' faireachdainn a cheart cho cofhurtail is misneachail anns an dà chànain.

Na bu tràithe, bha mi a-mach air mothachadh na cloinne air raointean-cleachdaidh cànanach agus an ceangal rin cuid misneachd. Rinn dithis sgoilear tuairisgeul air an aon suidheachadh a thaobh a bhith a' faireachdainn cofhurtail le Gàidhlig no Beurla, agus iadsan ag ràdh gun robh e gu mòr an crochadh air càite agus cò ris a bhruidhneadh iad. Bhiodh iad a' faireachdainn na bu chofhurtaile le Gàidhlig ann an raon-cleachdaidh Gàidhlig (mar eisimpleir san sgoil) – ged nach biodh sin ri ràdh gun robh iad san fharsaingeachd na bu

---

8 Chuir Joshua Fishman (1991) cuideam air a' bheachd nach biodh stèidheachdan foghlaim a-mhàin gu leòr airson mion-chànainean a chumail beò is, gu h-àraidh, airson an cur air adhart don ath-ghinealach, agus dhaingnich e iomadh turas cho cudromach is a bha e a' chànain a neartachadh aig ìre theaghlaichean agus choimhearsnachdan fhèin. Tha mi fhìn den bheachd gum faodadh mòran a bharrachd buaidh a bhith aig sgoiltean is stèidheachdan foghlaim air ath-bheothachadh cànain na chùm Fishman a-mach, ach gu bheil e fhathast air leth cudromach agus fìor thaiceil don chloinn ma tha a' chànain stèidhichte san teaghlach agus sa choimhearsnachd aca aig an aon àm.

chofhurtaile anns a' Ghàidhlig na anns a' Bheurla: 's e dìreach gun robh iad na bu chofhurtaile innte sa cho-theagsa shònraichte a bha sin. Nan robh iad ann an còmhradh ri daoine aithnichte mar luchd-labhairt na Beurla, ann an co-theagsa Beurla, bhiodh iad na bu chofhurtaile a bhith a' bruidhinn na Beurla.

Anns an sgoil, tha mi a' faireachdainn nas cofhurtail le Gàidhlig, oir tha a h-uile duine a' bruidhinn Gàidhlig, agus tha mi a' smaoineachadh sin dòigh math a bhith .. mar a' *commun*acadh .. *communicate*adh ach ma tha mi a' bruidhinn Beurla anns an sgoil, chan eil mi *really* faireachdainn gu math, oir tha .. tha e sgoil Gàidhlig, agus tha feum againn bruidhinn Gàidhlig, *so,* tha mi *sort of switch*eadh gu Gàidhlig. (Sg-33-BS)

[...] Agus cò a' chànain san fharsaingeachd anns a bheil thu a' faireachdainn nas cofhurtaile agus nas siùbhlaiche? An e Gàidhlig no Beurla a th' ann?
Uill, tha e *really depend*eadh cò tha mi a' bruidhinn ris. Nuair a tha mi a' bruidhinn ris an tidsear Gàidhlig agam, tha e nas fhasa bruidhinn Gàidhlig. Ach ma tha mi a' bruidhinn ri cuideigin, mar anns a' Bheurla, no nach urrainn dhaibh bruidhinn Gàidhlig, tha e nas fhasa bruidhinn Beurla. Ach nuair a tha mi a' coinneachadh ri daoine air an rathad, .. bidh mi uaireannan a' bruidhinn Gàidhlig, ach *yeah*, ri daoine eile, bidh mi a' bruidhinn Beurla. (Sg-40-BS)

Dhèilig na freagairtean seo ris a' cheist, 'Dè a' chànain anns a bheil thu a' faireachdainn nas cofhurtaile is nas comasaiche?', ann an dòigh fhor-chànanach:[9] cha robh iad a-mach air na sgilean aca no faireachdainnean ceangailte ri ìre comais, ach 's ann a choimhead iad air feumalachdan pragmataigeach[10] nan cànainean, agus dè bhiodh suidheachaidhean eadar-dhealaichte ag iarraidh orrasan, mar luchd-bruidhinn, a thaobh thaghaidhean cànain. Tha deagh theans ann nach robh na sgoilearan mothachail air sin, gu foirmeil, ach fiù 's mura robh, tha e a' sealltainn gun robh nàdar de dh'fhaireachdainn aca air diofar raointean-cleachdaidh is feumalachdan cànanach timcheall orra.[11]

---

9 for-chànanach 'meta-linguistic': nuair a tha cànain fhèin na chuspair còmhraidh; far a bheilear a' coimhead air a' chànain agus air a feumalachd mar shiostam conaltraidh aig ìre nas eas-cruthaiche.

10 feumalachdan pragmataigeach 'pragmatic functions': feumalachdan cànanach nach eil ceangailte ri ciall litearail nam facal/nan seantansan, ach ri ciall agus gnàthasan a rèir cho-theagsaichean sònraichte; dòighean anns an tèid cànain a chleachdadh airson barrachd a chur an cèill na ciall litearail nam facal a shealltainn, mar eisimpleir, ciall eas-cruthach, ciall eisimeileach air co-theagsa, agus gnàthasan no cleachdaidhean cànanach.

11 Cf. Ó Laoire 2007, Coupland et al. 2005.

Sealladh inbheach air misneachd na cloinne (BS) anns a' Ghàidhlig

Luchd-teagaisg BS[12]

A bharrachd air a bhith a' bruidhinn ris na sgoilearan fhèin, dh'fhaighnich mi cuideachd don luchd-teagaisg (ochdnar uile-gu-lèir aig ìre na bun-sgoile) dè cho misneachail agus cofhurtail 's a bha a' chlann a' faireachdainn mun cuid Gàidhlig nam beachd-san. Chùm iomadh neach-teagaisg a-mach gun robh a' mhòr-chuid de na sgoilearan toilichte agus cofhurtail gu leòr leis a' Ghàidhlig, co-dhiù san sgoil.

> Tha mi a' smaointinn gu bheil iad gu math misneachail, [...] tha deagh Ghàidhlig aig feadhainn dhiubh, [...] Agus tha iad, a' mhòr-chuid, gu math cofhurtail a bhith a' bruidhinn sa Ghàidhlig [...]. (NT-5-BS)

Am measg an luchd-teagaisg sin, thog aonan a' phuing gun cailleadh mòran cloinne misneachd nuair a rachadh iad air adhart don àrd-sgoil, ged a bhiodh iad air a bhith misneachail gu leòr sa bhun-sgoil. Na beachd-se, bhiodh a' chlann na bu mhisneachaile a thaobh na Gàidhlig aig aois na b' òige, ach, nuair a dh'fhàsadh iad na bu shine, bhiodh iad a' ceasnachadh nan comasan aca barrachd. Chitheadh iad cho luath is a dh'fhàsadh an sgilean Beurla, fhad 's a bhiodh an cuid chomasan ann an Gàidhlig a' fàs fada na bu shlaodaiche, air sàilleabh dìth fios a-steach, gu h-àraidh a thaobh chuspairean ùra.[13] Cuideachd, chan fhaigh iad an aon cheudad de dh'fhios a-steach Gàidhlig san àrd-sgoil an taca ris a' bhun-sgoil, far an tèid an teagasg tron Ghàidhlig airson na cuid as motha de chuspairean.

> [T]ha iad uabhasach moiteil às gu bheil Gàidhlig aca, ach tha sinn air faicinn bliadhna às dèidh bliadhna nuair a thèid iad dhan àrd-sgoil, ... tha, tha iad a' call misneachd gu math luath. .. Ach anns a' bhun-sgoil, tha mi a' smaoineachadh gu bheil iad, gu bheil iad gu math misneachail [...]. (NT-6-BS)

Chuala mi gum biodh cuid de na sgoilearan dì-mhisneachail aig ìre na bun-sgoile, ach cha b' e àireamh mhòr a bh' ann idir. Bha coltas ann gun robh a' mhòr-chuid de sgoilearan reusanta misneachail a thaobh na Gàidhlig, ged nach robh sin an-còmhnaidh ceangailte ris na sgilean aca. Chunnaic mi sin gu tric tro na h-agallamhan leis na sgoilearan fhèin: bhiodh pàiste a' dèanamh gu leòr mhearachdan gràmair agus a' strì eadar facail Ghàidhlig is facail Bheurla, fhad 's a bhiodh iad a' mìneachadh dhomh gu dòigheil cho misneachail agus cho cofhurtail 's a bha iad a' faireachdainn sa Ghàidhlig. Bha e iongantach dhomh

---

12 Bidh aithrisean an luchd-teagaisg nas fharsainge, a' gabhail a-steach fiosrachadh mu chlann nach do ghabh pàirt anns na h-agallamhan cuideachd.
13 Cf. Ó Giollagáin 2011.

an toiseach nach robh laigsean sna sgilean cànain aca a' lùghdachadh misneachd nan sgoilearan sin sa chànain. B' e àireamh reusanta mòr a bh' ann a dh'fhairich mar sin, agus cha tuirt ach buidheann bheag de chlann gun robh mothachadh air laigsean na bhacadh don mhisneachd aca.

Glè thric, gheibh clann ann am FMG pailteas chothroman ann an saoghal na Gàidhlig a tha gu math dùbhlanach, a leithid a bhith a' gabhail pàirt ann am prògraman rèidio no TBh, agus dh'aontaich mòran thidsearan gun robh na cothroman sin fìor chuideachail do mhisneachd na cloinne, mar eisimpleir a thaobh a bhith a' bruidhinn air beulaibh dhaoine eile agus, cuideachd, don mhisneachd aca a thaobh na Gàidhlig.

Chunnaic sinn na bu tràithe, ann an earrann le beachdan nan sgoilearan fhèin air misneachd san dà chànain, gun robh cuid den chloinn gu math mothachail air diofar raointean-cleachdaidh agus pàtrain cleachdaidh cànanach a rèir cò ris a bhiodh iad a' bruidhinn. Fhuair mi dà eisimpleir inntinnich air cho fada 's a dh'fhaodas an t-earrannachadh[14] sin a dhol, agus nach robh sgoilearan sna bliadhnaichean tràtha airson a' Bheurla a bhruidhinn ris an tidsear Ghàidhlig fiù 's ann am meadhan leasain Bheurla:

> [B]ha sinn a' dèanamh labhairt [...] anns a' Bheurla, agus 's e leasan sònraichte ann am Beurla a bh' ann. Agus bha sinn air a ràdh ... ris a' chloinn, 'Nise, seo an t-àm a tha sibh ceadaichte leis a' Bheurla, tha sibh ceadaichte a bhruidhinn.' Uill, ge b' oil leam, bha dithis nach bruidhneadh facal Beurla rium. (NT-1-BS)

Thuirt neach-teagaisg eile an aon rud mu dheidhinn sgoilearan sa chlas aice fhèin nach robh airson a' Bheurla a chleachdadh rithese no ri daoine eile fhad 's bha iad còmhla ri daoine bhon chlas Ghàidhlig aca, ged a bhiodh iad a-muigh air chuairt no tachartas còmhla ri clas Beurla, agus inbhich mun cuairt gun Ghàidhlig. Tha seo a' sealltainn cho làidir 's as urrainn do phàtrain cleachdaidh cànanach agus earrannachadh a bhith a' fàs, agus cho duilich is a tha e do chuid den chloinn na pàtrain sin atharrachadh, ann an comhair sam bith, Gàidhlig gu Beurla no Beurla gu Gàidhlig.

Pàrantan BS (air misneachd)

A thaobh misneachd na cloinne anns a' Ghàidhlig, cha d' fhuair mi mòran fiosrachaidh mhionaidich bho na pàrantan (16 aig ìre na bun-sgoile), a chionn 's gun robh a' mhòr-chuid dhiubh an dùil gun robh a' chlann ceart gu leòr leis a' Ghàidhlig, no co-dhiù le bhith ga cleachdadh san sgoil, ged a bhiodh iad na bu chomasaiche is na b' fhileanta anns a' Bheurla.

---

14 earrannachadh 'compartmentalisation'.

San fharsaingeachd, dhaingnich freagairtean nam pàrant pàtran ris an robh mi an dùil: far an robh a' Ghàidhlig ga cleachdadh mar aon de chànainean an teaghlaich, bha a' chlann cha mhòr uile fìor mhisneachail. Agus, gu nàdarrach, far nach robh daoine a' cleachdadh mòran Gàidhlig idir ris a' chloinn san dachaigh, cha robh beachd ro shoilleir aca air an cuid misneachd innte.

Dè cho misneachail is a tha a' chlann agaibh a thaobh an cuid Gàidhlig?
'S e a' Ghàidhlig a' chiad chànan aca, tha iad a' smaoineachadh ann an Gàidhlig, tha iad ag aisling ann an Gàidhlig, tha iad a' còmhradh gu nàdarra ann an Gàidhlig, mar sin, tha sinn fortanach gu bheil iad cho math is a tha iad. (P-4-BS)

Ann am buidheann bheag de dh'agallaichean, thàinig an aon bhun-bheachd am bàrr a chunnaic sinn fo shealladh nan sgoilearan agus an luchd-teagaisg, 's e sin gun robh cuid de chlann mothachail air raointean-cleachdaidh cànanach (ceangailte ri àiteachan no ri daoine) agus a' faireachdainn misneachail/dì-mhisneachail no cofhurtail/mì-chofhurtail dhan rèir.

SEALLADH NAN SGOILEARAN (AS) AIR MISNEACHD

Chuir mi na h-aon cheistean a chunnaic sinn ann an toraidhean aig ìre na bun-sgoile air sgoilearan aig ìre na h-àrd-sgoile, agus bha ùidh mhòr agam ann a bhith a' faicinn dè cho mòr 's a bhitheadh an diofar eadar an dà ìre, ma bha diofar ga shealltainn idir, oir, glè thric, bidh clann a' dol tro mhòran atharrachaidhean pearsanta nuair a bhios iad nan deugairean, no faisg air an aois sin. Agus 's ann às a' chiad is às an dàrna bliadhna is a bha na h-agallaichean sin gu lèir, aig an dearbh aois (40 sgoilear aig ìre na h-àrd-sgoile).

Nuair a dh'fhaighnich mi do na sgoilearan mar a bha iad a' faireachdainn mun cuid Gàidhlig, agus an robh iad den bheachd gum b' urrainn dhaibh bruidhinn mu dheidhinn cha mhòr cuspair sam bith innte, thuirt sianar sgoilear gun robh iad ceart gu leòr le mòran chuspairean ach gun robh briathrachas a dhìth aig amannan, a rèir dè na cuspairean air an robh iad a-mach agus dè cho mionaideach is a bha aca ri bhith annta.

'S dòcha feadhainn den ùine gum faod mi ag ràdh tòrr rudan agus .. gu bheil mi ... tha mi a' smaointinn gu bheil .. faodaidh mi ag ràdh uaireannan, agus uaireannan eile, chan urrainn, oir tha e beagan ... diofr-, *like*, .. tha e uaireannan gu math, ma tha, dìreach feadhainn de faclan, tha iad gu math – dè am facal a bha mi a' dol ag ràdh .. mar ... *difficult*? (Sg-58-AS)

['S] urrainn mi bruidhinn beagan mu dheidhinn cuspair sam bith, ach ma robh e a' dol anns a *detail* ... mòr, tha mi a' smaointinn gum bi mi *struggle*adh beagan. (Sg-65-AS)

Uaireannan tha mi a' smaoineachadh tha mi beagan, tha mi ag ràdh rudan beagan *muddled*. Ach an àite sin, tha mi … ceart gu leòr. (Sg-50-AS)

Chithear gu bheil duilgheadasan briathrachais gan sealltainn sna h-eisimpleirean seo, ach, gu h-inntinneach, cha do dh'fhairich na sgoilearan gum biodh sin a' cur stad orra ann an còmhraidhean Gàidhlig.

Bha ceathrar eile den bheachd gun robh 'gu leòr' Gàidhlig aca,[15] ged a bha iad mothachail nach robh iad dha-rìribh fileanta anns gach cuspair, gu h-àraidh ann an cainnt fhoirmeil.

> *Agus a bheil thu a' smaointinn gum b' urrainn dhut bruidhinn mu dheidhinn rud sam bith ann an Gàidhlig no a bheil–*
> Chan eil rud sam bith, ach tha, tha mar *idea* agam. *(Gàire na dithis)*
> *Chan eil mi a' ciallachadh cuspairean uabhasach fhèin toinnte, mar rud saidheans, no chan eil fhios 'am, ach dìreach san fharsaingeachd. Airson còmhradh, no …*
> *Yeah,* dìreach mar … *casual chat.* (Sg-56-AS)

Bha iad cleachdte ris an t-suidheachadh sin, agus cha robh coltas ann gun robh e air dì-mhisneachd a chur orra ann an dòigh sam bith; cha robh iad fhèin an dùil a bhith buileach fileanta.

Bha mi an uair sin air faighneachd do na sgoilearan dè cho misneachail is a bha iad a thaobh a' Ghàidhlig a bhruidhinn, a' gabhail a-steach diofar chuspairean agus diofar raointean-cleachdaidh. Thuirt ceathrar rium gun robh iad gu math misneachail agus nach robh iad an dùil gum biodh trioblaid aca le mòran chuspairean sa Ghàidhlig idir – bhiodh iad dòigheil gu leòr bruidhinn mu dheidhinn cha mhòr a h-uile càil.

> 'S urrainn dhomh bruidhinn mu dheidhinn cuspair sam bith san Gàidhlig.
> *Chan eil càil a' cur dragh ort?*
> Chan eil. (Sg-51-AS)

> *Agus ciamar a tha thusa a' faireachdainn mu dheidhinn do chuid Gàidhlig?*
> *A bheil thu a' faireachdainn gun urrainn dhut bruidhinn mu dheidhinn rud sam bith anns a' Ghàidhlig no a bheil–*
> 'S urrainn.

15 Mhothaich Pádraig Ó Duibhir (2009, 115) na h-aon seasamhan am measg sgoilearan ann an Èirinn, a thaobh an cuid sgilean ann an Gàidhlig na h-Èireann. Bha ùidh aca sa chànain is bhiodh e air còrdadh riutha a bhith buileach fileanta innte, ach, aig an aon àm, bha iad mothachail nach robh iad coileanta innte is gun dèanadh iad mearachdan gu leòr. Ge-tà, ghabh iad ris gur ann mar sin a bha an cuid chomasan is cha robh iad deònach oidhirp na bu mhotha a chur a-steach gus na comasan sin a leasachadh gu spreigeach.

Chan eil cuspair sam bith a' cur dragh ort?
Chan eil *really.* (Sg-61-AS)

Tha mi airson cuideam a chur air a' phuing gun robh na h-aithrisean seo a-mach air misneachd agus air a bhith a' faireachdainn cofhurtail sa Ghàidhlig, agus nach fheumadh na faireachdainnean sin a bhith ceangailte ri comasan anns a' Ghàidhlig. Chunnaic mi mòran sgoilearan sna h-agallamhan a bha nan luchd-ionnsachaidh FMG is a bhiodh a' dèanamh mhearachdan gu cunbhalach tron chòmhradh, no a' strì le briathrachas, ach cha robh sin a' cur dragh orra a thaobh misneachd. Bha fhathast coltas orra gun robh iad cofhurtail is làn misneachd.

Cha tuirt ach aon sgoilear aig ìre na h-àrd-sgoile gun robh i a' faireachdainn na bu chofhurtaile sa Ghàidhlig na sa Bheurla, ged a bhiodh an dà chànain gu math faisg. 'S ann às a' Ghalltachd chathaireil a bha an tè sin, ach bhiodh i a' cleachdadh mòran Gàidhlig san dachaigh, is b' i a' Ghàidhlig a' chiad chànain aice.

> *Agus cò a' chànain san fharsaingeachd anns a bheil thu a' faireachdainn nas cofhurtaile? A bheil thu a' faireachdainn nas cofhurtaile no nas comasaiche anns a' Ghàidhlig no anns a' Bheurla? No a bheil an dà chànain aig an aon ìre dhutsa?*
> Tha mi a' smaointinn gu bheil mi .. barrachd Gàidhlig na Beurla, oir bha mi .. Gàidhlig an cànan a bh' agam aig an toiseach. *So* 's dòcha gu bheil barrachd Gàidhlig agam na Beurla. (Sg-58-AS)

Thuirt còrr is an dàrna leth de na sgoilearan (23) gun robh iad na bu chofhurtaile anns a' Bheurla na anns a' Ghàidhlig. Tha eisimpleirean nam measg, ge-tà, a tha a' taisbeanadh gun robh cuid den chloinn mì-chinnteach mu na faireachdainnean is comasan aca fhèin. Chan eil e follaiseach an ann air sgàth 's nach do smaoinich iad mun cheist sin roimhe a bha sin air neo an do smaoinich cuid barrachd mu na bhithinn fhìn ag iarraidh cluinntinn bhuapa, mar neach-agallaimh. Aig amannan, dh'atharraicheadh na h-aithrisean am broinn an aon agallaimh:

> *Nan robh agad ri sgeulachd a sgrìobhadh no rudeigin mar sin, .. sgeulachd dha-rìribh snog le deagh chànain, am biodh sin na b' fhasa anns a' Ghàidhlig no anns a' Bheurla dhut?*
> Beagan mar Beurla, oir .. sin mar an rud a tha mi a' bruidhinn tòrr .. nas fheàrr na Gàidhlig, agus tha fios agam tòrr eile mu dheidhinn Beurla na Gàidhlig.
> [...]
> *A bheil thu a' faicinn diofar eadar Beurla agus Gàidhlig, mar a tha e agad fhèin, a bheil e nas fhasa dhutsa a bhith a' bruidhinn anns a' Bheurla no anns*

a' Ghàidhlig no, an e an aon rud a th' ann airson gach cànain?

Tha mi a' smaointinn gu bheil e tòrr na b' fhasa na ... a' bruidhinn ann an Gàidhlig oir thòisich mi bho aois òg, nuair a tha mi mar bruidhinn ann an Fraingis no rudeigin, ach bidh mi mar, a' smaointinn ann an Gàidhlig nuair a tha mi a' bruidhinn ann an Gàidhlig.

Dè mu dheidhinn Beurla?

Tha Beurla beagan nas fhasa, ach tha iad faisg. (Sg-41-AS)

Chuir dithis sgoilear cuideam air a' phuing gun robh iad na bu chofhurtaile anns a' Bheurla, ach nach robh a' Ghàidhlig a' cur dragh orra na bu mhotha, agus gun robh iad measail air a bhith ga bruidhinn.

.. Is toil leam a bhruidhinn Gàidhlig, ach tha mi nas fheàrr air Beurla. (Sg-68-AS)

A thaobh misneachd, thuirt còrr is cairteal de na h-agallaichean (13) gun robh iad a cheart cho cofhurtail a bhith a' bruidhinn na Gàidhlig agus a' Bheurla (air neo gun robh an dà chànain glè fhaisg air an aon ìre), ged a bha cuid dhiubh mothachail gun robh iad na b' fhileanta anns a' Bheurla.

Agus cò a' chànain san fharsaingeachd anns a bheil thu a' faireachdainn nas cofhurtaile agus nas siùbhlaiche? An e Gàidhlig no Beurla a th' ann?

.. Tha mi a' faireachdainn .. gu bhith meadhanach *really*, chan eil am fear nas fheàrr. Tha mi a' cleachdadh Beurla tuilleadh oir tha tòrr dhe na caraidean agam, chan eil Gàidhlig aca, ach .. tha mi a' smaoineachadh gum b' urrainn mi a' dèanamh an dà chuid, gu bhith an aon rud. (Sg-50-AS)

Mhothaich buidheann bheag de sgoilearan gun robh na sgilean Gàidhlig aca air a bhith na b' fheàrr sa bhun-sgoil na bha iad san àrd-sgoil agus, air sgàth sin, chaill iad beagan misneachd san àrd-sgoil a thaobh na Gàidhlig. Thuirt aon sgoilear gun robh i air a bhith na bu chofhurtaile anns a' Ghàidhlig nuair bha i fhathast sa bhun-sgoil, agus bha i den bheachd nach do rinn i mòran adhartais san àrd-sgoil a thaobh fileantachd agus briathrachais sa Ghàidhlig na bu mhotha.

Tha mi a' faireachdainn nas cofhurtaile anns a' Bheurla. Ach [...] bha mi, bha mi nas cofhurtail anns a' bhun-sgoil leis Gàidhlig, ach bha sin 's dòcha airson bha mi aig an aon .. mar ... .. an aon *level* ris .. na, ach .. tha, cha bhi sinn a' bruidhinn Gàidhlig tòrr .. anns an sgoil a-nis, agus cha bhios mi, mar, tha dìreach, tha fios agam aig air an gràmar nas motha a-nis, ach chan eil mi air mar, cluinntinn faclan ùr no rudan, *so* tha mi dìreach aig an aon *level* as a' bhun-sgoil. (Sg-56-AS)

Tha e follaiseach nach bi na sgoilearan a' faighinn uiread fios a-steach Ghàidhlig san àrd-sgoil is a gheibh iad sa bhun-sgoil agus, a rèir choltais, bidh cuid de na sgoilearan mothachail air sin is a' call misneachd nan cuid sgilean.

Sealladh inbheach air misneachd na cloinne (AS) anns a' Ghàidhlig

Luchd-teagaisg AS

Am measg an luchd-teagaisg (ochdnar aig ìre na h-àrd-sgoile), bha triùir gu mòr den bheachd gun robh a' mhòr-chuid den chloinn misneachail sa Ghàidhlig, ged nach biodh na faireachdainnean sin an crochadh air na comasan cànanach aca. Aig amannan, bhiodh cuid dhiubh fiù 's cho cinnteach às na sgilean aca 's nach biodh iad toilichte idir nan cuireadh cuideigin ceart iad. Mhothaich mi an aon rud ann a bhith a' bruidhinn ris a' chloinn fhèin: chuir sgoilear no dithis an cèill nach robh aig an luchd-teagaisg ri mòran ceartachaidh a dhèanamh orra a-nis, air sgàth 's gun robh iad aig ìre na h-àrd-sgoile agus, mar sin, bhiodh fios aca air cha mhòr a h-uile càil anns a' Ghàidhlig a-nis:

> Tha iad daonnan a' smaointinn gu bheil iad comasach air a h-uile sìon! Agus chan eil iad ga ghabhail ro mhath ma tha thu gan ceartachadh! Tha iad fhèin, ginealach an latha an-diugh, tha iad a' smaointinn gu bheil iad nas fheàrr na tha iad, leis an fhìrinn innse. (NT-13-AS)

Thuirt neach-teagaisg eile às a' bhuidhinn sin cha mhòr an aon rud mu sgoilearan sa chlas aicese, ach gun robh iad aig amannan beagan diùid agus dì-mhisneachail nan robh aca ri pìos-obrach no pròiseact air cuspair ùr a dhèanamh gu tur anns a' Ghàidhlig, oir bhiodh 'eagal orra gu bheil iad a' dol a dhèanamh mearachdan' (NT-11-AS). Tha coltas ann gu bheil e gu math cumanta aig ìre na h-àrd-sgoile nach eil cuid de sgoilearan cho deònach rudan ùra fheuchainn gun dragh a bhith orra mu bhith ceart no ceàrr, ged as e sin an dearbh rud a bhiodh iad air a dhèanamh sa bhun-sgoil, gun a bhith a' smaoineachadh ma dheidhinn. San àrd-sgoil, bidh cuid den chloinn nas mothachaile air na mearachdan is laigsean aca, agus bidh barrachd nàire orra ma thèid iad ceàrr is ma cheartaicheas an tidsear iad.

Chan eil seo fìor don a h-uile duine, ge-tà. Mhothaich aon neach-teagaisg, gu h-àraidh am measg nam fileantach, gun robh cuid den chloinn gu tur coma nan dèanadh iad mearachdan ann an labhairt – nan robh iad airson, mar eisimpleir, sgeulachd innse, dhèanadh iad sin agus cha chuireadh mearachdan stad no dragh orra, cho fad 's a bhiodh iad a' faicinn gun tuigeadh daoine na bha iad a' ciallachadh:

> [T]ha na fileantaich, cuid dhiubh, tha iad caran coma-co-dhiù, agus cha dèan iad, tha iad coma ma nì iad mearachdan, a chionn 's tha iad a' dol a bhruidhinn riut, tha misneachd aca ann a bhith a' bruidhinn.[…] eadar

fileantaich, nì iad dìreach brochan de rudeigin, ach tuigidh tu dè tha iad a' feuchainn ri ràdh, agus chan eil e gu diofar dhaibh, cha deach an ceartachadh, fhios agad. 'Tha mise a' dol a dh'innse stòraidh dhut, tha mi coma ged a nì mi mearachdan, a chionn 's tuigidh a h-uile duine mi co-dhiù [...].' (NT-9-AS)

Dh'ainmich dithis luchd-teagaisg na cothroman a bharrachd a gheibh clann ann am FMG mar adhbharan gun robh mòran dhiubh gu math misneachail san fharsaingeachd, chan ann a-mhàin a thaobh na Gàidhlig. A chionn 's gum faigh sgoilearan le Gàidhlig gu leòr chothroman a bhith air prògraman rèidio no TBh, a bhith a' gabhail pàirt ann am pròiseactan film, fèisean is mòdan, bidh iad nas cleachdte ri bhith a' bruidhinn, a' seinn no a' cluich ionnsramaid air beulaibh dhaoine eile, agus cuiridh sin gu mòr ris a' mhisneachd aca.

Thuirt buidheann bheag de luchd-teagaisg gun robh clann sa chlas acasan aig nach robh cus misneachd idir, air sgàth 's gun robh iad mothachail air na laigsean aca fhèin anns a' Ghàidhlig. Bhiodh sin fìor gu h-àraidh airson luchd-ionnsachaidh FMG, nuair a thigeadh iad gu ìre far an tuigeadh iad nach robh iad buileach cho math 's a bha iad an dùil às dèidh bhliadhnaichean de Ghàidhlig sa bhun-sgoil. Don fheadhainn sin, bha barrachd fios a-steach Ghàidhlig a dhìth gus na sgilean aca a leasachadh, ach chan fhaigheadh iad sin bhon dachaigh agus, air sgàth 's gum biodh na bu lugha de chlasaichean Gàidhlig agus cuspairean tron Ghàidhlig san àrd-sgoil, bhiodh iad fhèin mothachail gun dèanadh iad adhartas na bu shlaodaiche na sa bhun-sgoil.

A thaobh an diofair ann am misneachd eadar a bhith a' cleachdadh na Gàidhlig agus na Beurla, dh'aontaich còignear luchd-teagaisg gun robh a' chuid a bu mhotha de na sgoilearan na bu chofhurtaile anns a' Bheurla. Thuirt dithis luchd-teagaisg gun robh e soilleir, aig amannan, gum biodh a' mhòr-chuid de na sgoilearan a' taghadh na Beurla thairis air a' Ghàidhlig, nam biodh an taghadh sin aca, seach gum biodh sin na b' fhasa dhaibh. Ceangailte ris a' phuing sin, dhaingnich tidsear eile gun robh e na dhuilgheadas mar a bhiodh adhartas na cloinne anns a' Ghàidhlig a' fàs fada na bu shlaodaiche na adhartas anns a' Bheurla, gu h-àraidh bho thoiseach na h-àrd-sgoile:

[C]hanainn gu bheil a' Bheurla an-còmhnaidh 's dòcha ceum no dhà air toiseach, is a' Ghàidhlig a' tighinn air a chùl. 'S e an t-eagal a th' ormsa, nuair a tha a' Bheurla a' dol ceum no dhà a bharrachd, [...], air thoiseach air a' Ghàidhlig, 's e an t-eagal a th' orm gu bheil a' Ghàidhlig an uair sin fèir a' fuireach an sin, is tha a' Bheurla aca a' dol air adhart, air adhart, air adhart, air adhart. (NT-11-AS)

Chan eil adhartas anns a' Ghàidhlig agus anns a' Bheurla a' gluasad aig an aon astar an-dràsta, agus bhiodh mòran a bharrachd chothroman cleachdaidh

a dhìth gus tighinn na b' fhaisge air an amas sin. Gu cinnteach, cha bhi fios
a-steach Gàidhlig uair sam bith buileach aig an aon ìre 's a bhios fios a-steach
Beurla am measg na cloinne san àrd-sgoil, ach bhiodh e cuideachail barrachd
taice do na sgoilearan a stèidheachadh gus am biodh na comasan cànain aca na
b' fhaisge air a chèile san dà chànain.

Pàrantan AS (air misneachd)

Nuair a bhruidhinn mi ri pàrantan mu dheidhinn misneachd na cloinne
a thaobh a bhith a' cleachdadh na Gàidhlig, thuirt sianar gun robh iad den
bheachd gun robh an cuid cloinne gu math misneachail anns a' Ghàidhlig is
gum biodh iad dòigheil gu leòr bruidhinn air diofar chuspairean innte. Cha
robh na freagairtean seo ceangailte gu sònraichte ri diofar sgìrean: cha robh
coltas ann gun robh seo an crochadh air cho làidir is a bha a' Ghàidhlig nan
àrainneachd.

Dh'aithris triùir phàrant gun robh iad mothachail air duilgheadasan
na cloinne ceangailte ri misneachd anns a' Ghàidhlig. Thuirt dithis dhiubh
nach robh misneachd gu leòr aig a' chloinn a' Ghàidhlig a bhruidhinn ann an
suidheachaidhean ùra.

> Uill, ... chan eil mi a' smaoineachadh gu bheil i glè mhisneachail idir,
> tha i caran diùid ann a bhith a' bruidhinn Gàidhlig. Tha i math, tha
> i a' tuigsinn glè mhath, ach ... tha i, ma tha mise, no cuideigin eile a'
> feuchainn ri còmhradh fhaighinn còmhla rithe, uill, cha bhi i ag ràdh
> mòran. ... (P-28-AS)

Bha an treas pàrant a-mach air mothachadh na cloinne air na diofar ìrean
de chomasan cànanach aca sa Bheurla agus sa Ghàidhlig. Ged a bhiodh iad
fhathast fileanta anns a' Ghàidhlig thigeadh e a-steach orra a-nis gun robh iad
na bu chomasaiche anns a' Bheurla, is gum faodadh iad an aon rud innse ann
an dòigh a bha fada na b' ealanta is na bu phongaile sa Bheurla na sa Ghàidhlig.
Ann an teaghlach a' phàrant sin, rachadh am mothachadh sin gu calg-dhìreach
an aghaidh nan raointean-cleachdaidh mar a bha iad a-riamh stèidhichte san
teaghlach:

> [T]ha iad a' cumail ris a' Ghàidhlig nuair a tha iad a' bruidhinn riutsa,
> a bha a' bruidhinn Gàidhlig riutha fad am beatha, ach tha e a' tighinn
> a-steach orra fhèin nach urrainn dhaibh rudan innse dhut cho math
> a-nis. Tha iad aig ìre a-nis, far a bheil iad a' tuigsinn nach urrainn
> dhaibh rudan innse dhut cho f–, leis, leis an aon fhileantas, leis an aon
> .. ghrinneas-cainnt is a dhèanadh iad ann am Beurla, ach cha b' urrainn
> dhaibh Beurla a bhruidhinn riut, cha do bhruidhinn iad Beurla a-riamh
> riut, is tha iad fhèin mothachail air sin. (P-24-AS)

Chithear nach robh am pàrant seo a-mach air dìth misneachd fhèin anns a' Ghàidhlig – tha a cuid cloinne fileanta – ach air atharrachaidhean nan cuid misneachd air sàilleabh atharrachadh ann am mothachadh cànanach. 'S e bun-bheachd air leth cudromach agus inntinneach a tha seo, seach gu bheil e a' gabhail a-steach còmhstri a dh'fhairicheas cuid de chlann, nuair a bhios iad nan deugairean, eadar an cuid chomasan agus raointean-cleachdaidh no cleachdaidhean cànain. Chan eil an còmhstri sin ceangailte ri bhith ag iarraidh no gun a bhith ag iarraidh Gàidhlig a bhruidhinn, oir, a rèir nan cleachdaidhean cànain aca, bhiodh e fiù 's na bu nàdarraiche dhaibh Gàidhlig a bhruidhinn rim màthair, ach, aig an aon àm, bhiodh fios aca gun cumadh iad còmhradh na b' fheàrr, na bu phongaile sa chànain eile – sa Bheurla.[16]

Thog dithis phàrant eile a' phuing gun robh an cuid cloinne – nam beachd-san – misneachail gu leòr sa Ghàidhlig air taobh a-staigh na sgoile, ach nach robh iad cho cofhurtail air taobh a-muigh na sgoile. Faodaidh sinn aithneachadh an sin a-rithist gum bi cuid de na sgoilearan mothachail air diofar chleachdaidhean cànain agus raointean-cleachdaidh timcheall orra, agus far nach aithnich iad raon-cleachdaidh Gàidhlig nàdarrach, fàsaidh iad mì-chofhurtail a cleachdadh.

Ceanglaichean eadar am fios a-steach agus am fios a-mach (misneachd)

Airson na mòr-chuid de na cuspairean san rannsachadh, dh'obraich mi a-mach dè na ceanglaichean a bha rim faicinn eadar an seòrsa fios a-steach a fhuair a' chlann ceangailte ris a' chuspair sin, agus am fios a-mach a fhuair mi bhuapa, 's e sin na freagairtean a thug iad dhomh. Bha mi airson faicinn dè an seòrsa fios a-steach a bh' aig a' chloinn, bho dhiofar thùsan, gus am biodh beachd cothromach agam air dè dh'fhaodainn a bhith an dùil bhuapa a thaobh fios a-mach. Gus seo a dhèanamh, bhithinn a' coimhead air beachdan agus freagairtean nan sgoilearan ceangailte ri cuspair àraidh bhon agallamh agus, an uair sin, gan cur (aon seach aon) mu choinneimh phìosan de chùl-fhiosrachadh buntainneach a dh'innis a' chlann dhomh mar phàirt de fhreagairtean eile san agallamh. Airson a' chuspair 'misneachd', mar eisimpleir, bha sin a' ciallachadh gun do chuir mi freagairtean na cloinne don cheist mu cho misneachail is a bha iad a' faireachdainn sa Ghàidhlig mu choinneimh fiosrachaidh a bha mi air fhaighinn bhuapa ceangailte ri cleachdaidhean cànain, tro cheistean a leithid càite am biodh iad a' bruidhinn na Gàidhlig, a bharrachd air san sgoil, cò ris a bhiodh iad ga bruidhinn agus, san fharsaingeachd, dè na cànainean a bhiodh iad a' cleachdadh aig an taigh.

---

16 Faic cuideachd Ó Giollagáin 2011 (eisimpleirean coltach ri seo a thaobh Gàidhlig na h-Èireann), O' Hanlon et al. 2010 agus Rothach 2006 (eisimpleirean a bharrachd a thaobh Gàidhlig na h-Alba).

Aig ìre na bun-sgoile thuirt còignear sgoilear gun do dh'fhairich iad misneachail le cha mhòr cuspair sam bith anns a' Ghàidhlig. Nam measg, bha dithis a chleachdadh a' Ghàidhlig aig an taigh fad an t-siubhail agus dithis gun Ghàidhlig san dachaigh no le dìreach glè bheag de Ghàidhlig an sin. Chleachdadh an dithis mu dheireadh a' Ghàidhlig aig club no tachartasan spòrs, ge-tà. Ged a tha na h-àireamhan glè bheag an seo, dh'èirich am beachd gum faodadh luchd-ionnsachaidh FMG a bhith a cheart cho misneachail ga cleachdadh 's a tha clann le Gàidhlig bho thùs.[17]

Thuirt dithis sgoilear nach robh iad misneachail idir sa Ghàidhlig, agus aonan mothachail air na laigsean aice sa chànain. 'S ann à dachaighean gun Ghàidhlig agus le glè bheag de Ghàidhlig a thàinig an dithis sin.

Chuala mi bho thriùir cloinne eile gun Ghàidhlig san dachaigh gun robh iad mothachail nach robh iad coileanta idir anns a' Ghàidhlig, ach gun robh iad ceart gu leòr le sin agus dìreach a' gabhail ris gun robh mòran aca ri ionnsachadh, gun robh iad feumach air taic fhathast is nach robh iad cho fileanta ri sgoilearan aig an robh a' chànain bho thùs. Cha b' i àireamh mhòr ris an robh mi a' dèiligeadh an seo, ach tha e a' daingneachadh a' bheachd a chaidh ainmeachadh aig toiseach na h-earrainn seo: gur dòcha gu bheil e comasach misneachd chànanach a thogail sa chloinn tron sgoil a tha cha mhòr cho làidir ri misneachd nam fileantach. Bidh sin an crochadh gu mòr air gach neach-teagaisg is na dòighean teagaisg aca, ach tha coltas ann gu bheil cuid dhiubh air a bhith soirbheachail le sin mar-thà.

Aig ìre na h-àrd-sgoile, cha tàinig mòran cheanglaichean neo-àbhaisteach am bàrr eadar misneachd anns a' Ghàidhlig agus cleachdaidhean cànain na cloinne, a bharrachd air a' bheachd nach eil misneachd ann a bhith a' bruidhinn na Gàidhlig an-còmhnaidh dlùth-cheangailte ri comasan na cloinne sa chànain. Mar eisimpleir air sin, thuirt còignear gun robh iad a' faireachdainn misneachail le cha mhòr cuspair sam bith anns a' Ghàidhlig, agus cha robh duine nam measg a chleachdadh mòran Gàidhlig aig an taigh. Bha aon sgoilear an sin gun Ghàidhlig sam bith aig an taigh, dithis le glè bheag de Ghàidhlig san dachaigh, agus aonan à dachaigh far am biodh iad a' cleachdadh measgachadh de Ghàidhlig agus Beurla.

'S e puing air leth cudromach a tha seo, air sgàth 's gu bheil e a' taisbeanadh cho làidir is a dh'fhaodas stèidheachd na sgoile a bhith ann a bhith a' togail misneachd a thaobh na Gàidhlig, a bharrachd air togail cànain gu foirmeil.

---

17 Air sgàth 's gum b' e rannsachadh càileachdail stèidhichte air agallamhan leth-structarail a bh' ann, cha robh an aon àireamh de fhreagairtean an-còmhnaidh mu choinnimh gach ceist sa h-uile agallamh. Na àite, bhiodh cuid de sgoilearan a' bruidhinn na bu shaoire na cuid eile, gun a bhith a-mach air na h-aon phuingean mionaideach ri cuid eile.

CO-DHÙNAIDHEAN AIR MISNEACHD NAN SGOILEARAN

Às dèidh a bhith a' faicinn is a' cnuasachadh nan diofar thoraidhean fa leth, ciamar a bhios an dealbh as motha a' tighinn ri chèile ma chuireas sinn na puingean a chaidh a sgrùdadh airson na dà sheòrsa sgoile, bun-sgoil agus àrd-sgoil, ri chèile? A thaobh misneachd anns a' Ghàidhlig, thàinig e am bàrr gun robh clann AS agus clann BS a' taisbeanadh an aon seòrsa phàtran. Dh'aithris a' mhòr-chuid de na sgoilearan (AS agus BS) gun do dh'fhairich iad ceart gu leòr a' bruidhinn na Gàidhlig, ach gun robh iad fada na bu chofhurtaile anns a' Bheurla (BS: 19, AS: 23), agus chuir buidheann mhòr eile an cèill gun robh iad a' faireachdainn a cheart cho cofhurtail is misneachail anns an dà chànain (BS: 11, AS: 13). Tha mi airson cuideam a chur air a' phuing a-rithist gur ann a-mach air misneachd a bha mi an seo, chan ann air comasan. Gu tric, cha robh misneachd na cloinne an crochadh gu mòr air an cuid chomasan, mar a sheall an dàta mar-thà.

Thuirt sianar sgoilear BS gun robh iad na bu chofhurtaile anns a' Ghàidhlig na bha iad anns a' Bheurla – thàinig iad uile às na h-eileanan – fhad 's nach robh ach aon sgoilear AS a' cumail a-mach an aon rud. Tha e inntinneach mar a dh'atharraich cùisean eadar a' bhun-sgoil agus an àrd-sgoil, agus gun robh an ìre mhath a h-uile duine aig ìre AS na bu chofhurtaile agus na bu mhisneachaile anns a' Bheurla a-nis, air neo gun robh an dà chànain aig an aon ìre. Chuir aon sgoilear AS an cèill gun robh i air a bhith na bu mhisneachaile sa Ghàidhlig nuair a bha i fhathast sa bhun-sgoil. Chaidh a' phuing sin a thogail iomadh turas fo dhiofar chuspairean, agus na freagairtean a' sealltainn gur e trioblaid a bh' ann gun robh cuid de na sgoilearan a' faireachdainn gun robh an cuid sgilean agus misneachd a' sìor lagachadh às dèidh dhaibh gluasad air adhart don àrd-sgoil.

Aig an aon àm, nochd am beachd gu bheil sgoilearan AS nas cleachdte ri diofar raointean-cleachdaidh is nach bi buaidh cho mòr aig suidheachaidhean agus cleachdaidhean cànanach air an cuid misneachd. Bha coltas ann gun robh buaidh na bu mhotha aig raointean-cleachdaidh cànanach – ceangailte ri daoine agus ri àiteachan is tachartasan – air clann aig ìre na bun-sgoile.

B' e an toradh a b' annasaiche nach robh an diofar eadar fileantaich agus luchd-ionnsachaidh FMG glè mhòr a thaobh misneachd: a bharrachd air clann à dachaighean Gàidhlig, bha àireamh mhòr de chlann gun fhacal Gàidhlig aig an taigh glè mhisneachail innte cuideachd, às bith cò ris a bha na sgilean cànanach aca coltach.

2.2 SEASAMHAN NAN SGOILEARAN MU CHOINNEIMH NA GÀIDHLIG AGUS FMG

A bharrachd air a bhith a' faighinn a-mach cho misneachail is a bha na

sgoilearan a thaobh a bhith a' cleachdadh na Gàidhlig, bha mi airson a'
cheist air mar a bha iad a' faireachdainn ann am FMG san fharsaingeachd
a leantainn na bu mhionaidiche fhathast, agus chuir mi romham a bhith a'
cruinneachadh fiosrachadh air seasamhan nan sgoilearan mu choinneimh na
Gàidhlig fhèin agus, cuideachd, mu choinneimh FMG. Ghabh na ceistean
a-steach faireachdainnean gu math pearsanta agus fèin-aithne na cloinne is a
ceangal ris a' Ghàidhlig (ma bha ceangal ann idir). Mar a mhìnich mi san ro-
ràdh, tha seasamhan luchd-bruidhinn mu choinneimh mion-chànain air leth
cudromach do phàtrain cleachdaidh cànanach nan daoine sin, oir, mura h-eil
iad a' faireachdainn gu bheil a' chànain cudromach dhaibh fhèin, tro chultar,
eachdraidh, tradaiseanan no dìreach tro chleachdaidhean làitheil nam beatha,
carson a bhiodh iad airson a cleachdadh idir (fiù 's ged a bhiodh iad buileach
fileanta innte)? San aon dòigh, chan urrainn dhuinn a bhith an dùil gum bi
clann nach eil a' faicinn càil sa Ghàidhlig ach cànain na sgoile agus, mar sin,
cànain fhoirmeil ceangailte ri ionnsachadh is obair a-mhàin, airson a' chànain
a chleachdadh nam beatha phrìobhaideach is am measg chomhaoisean.[18]
Mar sin, tha seasamhan pearsanta taiceil mu choinneimh na Gàidhlig air leth
cudromach do chleachdaidhean cànain agus do dh'ionnsachadh farsaing na
cloinne ma bhios e a' tachairt tro mheadhan na cànain sin.

B' e sin an t-adhbhar a dhèilig mi – san dàrna pàirt de thoraidhean an
rannsachaidh – ri ceistean timcheall air fèin-aithne agus faireachdainnean na
cloinne ann an co-theagsa Gàidhlig. Dh'fhaighnich mi do na sgoilearan dè
cho cudromach 's a bha a' Ghàidhlig nam beatha agus, a bharrachd air sin,
dh'fheuch mi ri fiosrachadh a chruinneachadh air an cuid sheasamhan agus
fhaireachdainnean ceangailte ris a' chànain (aig an àm sin is mun àm ri teachd)
agus ri FMG fhèin.

Seasamhan nan sgoilearan (BS) mu choinneimh na Gàidhlig

Thuirt a' chuid a bu mhotha de sgoilearan aig ìre BS gun robh a' Ghàidhlig
cudromach dhaibh, gu ìre air choreigin. Do chuid (8), bha an fhaireachdainn
sin ceangailte ri bhith measail air a' Ghàidhlig san fharsaingeachd agus ri bhith
cleachdte rithe tron sgoil: bhiodh iad ga bruidhinn gu làitheil, san sgoil agus,
mar sin, b' e pàirt stèidhichte dem beatha a bh' innte:

A bheil i cudromach dhutsa?
Tha! Tha e cudromach.
Carson a tha sin? [...]
Dìreach, air sgàth 's gu bheil :. 's toil leam e, agus ... sin e. (Sg-13-BS)

18 comhaoisean 'peers'.

'S e pàirt mòr dhen bheatha agam, airson tha mi a' cleachdadh e a h-uile latha, a h-uile latha dhen bhliadhna, ach aig an saor-làithean chan eil mi a' cleachdadh e cho mòr ach tha mi a' smaoineachadh gur e mar .. pàirt ... mura robh Gàidhlig an sin, bidh e, ... ma bha thu a thoirt a h-uile càil Gàidhlig air falbh bho mise an-dràsta, bhiodh e mar, bha toll ann. *So*, ma bha mar craobh ann, bidh e mar bha an craobh ann, ach cha robh an *leaves* ann, no rudan. (Sg-5-BS)

Seallaidh an dàrna freagairt gur dòcha gun robh cuideigin air bruidhinn ris an sgoilear seo mu dheidhinn Gàidhlig agus fèin-aithne agus cho cudromach is a bha i ann an Alba, agus dh'fhairich am pàiste seo gu math làidir ma deidhinn.

Mhìnich seachdnar sgoilear eile gun robh a' Ghàidhlig cudromach dhaibh aig ìre glè phearsanta, air sgàth 's gun robh i dlùth-cheangailte ris an teaghlach aca. Don fheadhainn sin, b' e pàirt gu tur gnàthach dem beatha a bh' anns a' Ghàidhlig, agus bhiodh a' chànain a' riochdachadh nan daoine a bu dlùithe dhaibh, mar eisimpleir pàrantan, bràithrean, peathraichean no seann-phàrantan. Dh'fhairich cuid gu math làidir gun robh ceangal ris a' Ghàidhlig na b' fhaide air ais san teaghlach, agus gun robh e mar dhleastanas orrasan a' Ghàidhlig a chumail san teaghlach agus spèis a bhith aca roimhpe a chionn 's gum b' e pàirt de dh'eachdraidh an teaghlaich a bh' innte, a' dol air ais fad ghinealach.

A bheil i cudromach dhutsa?
Tha! Gu math cudromach.
Carson a tha sin?
Tha mi air a bhith a' bruidhinn Gàidhlig fad mo bheatha. Is chan eil mi, chan eil mi ag iarraidh stad. Cànan mìorbhaileach a th' ann.
[...]
Tha e air a bhith anns an teaghlach agamsa airson .. bliadhnaichean mòr, mòr air ais, agus ... .. tha e gu bhith anns an teaghlach. Tha mi a' dol ga chumail anns an teaghlach!
(Sg-27-BS)

Agus dè tha a' Ghàidhlig a' ciallachadh dhutsa, gu pearsanta?
Caran, tha Gàidhlig dhòmhsa caran, uill tha an teaghlach agamsa, mar air a bhith a' bruidhinn Gàidhlig airson ùine fada, mar *Dad*, agus Granaidh agus an seanair aig *Dad*, agus ... mar air ais, agus an taobh aig *Mum* cuideachd, *so* .. uill, tha mi caran ag iarraidh a cumail orm, a bhith a' bruidhinn Gàidhlig [...]. (Sg-11-BS)

Thàinig e am bàrr nach b' e an ceangal ris an teaghlach an aon adhbhar a choimhead clann air a' Ghàidhlig mar phàirt chudromach dem beatha, ge-tà. Bhruidhinn mi ri dithis sgoilear a dh'fhairich dlùth-cheangal eadar a' Ghàidhlig agus an fhèin-aithne aca, ged nach robh i sna teaghlaichean aca.[19] Mar adhbharan air sin, dh'ainmich iad gun robh a' Ghàidhlig na pàirt chudromach de chultar na h-Alba, ged nach b' urrainn dhaibh an ceangal sin a mhìneachadh barrachd.

An urrainn dhut a ràdh carson a tha i cudromach dhutsa?
.. Oir 's e pàirt dhen *culture* againn a th' ann, agus rudan mar sin, agus an eachdraidh agus *you know*, rudan mar sin. Agus mar, thòisich e anns na .. na mar na, ach chan eil cuimhne agam a-nis. ... 'S e na *Highland clearances* agus rudan. *Yeah.* Sin e, *really.* (Sg-40-BS)

Chunnaic mi sgoilearan gun cheangal sam bith ris a' Ghàidhlig tron teaghlach aca a bha fhathast a' faireachdainn làidir mun chànain, a chionn 's gun cuir iad mòran den ùine aca seachad tron Ghàidhlig san sgoil. 'S e neart de shiostam FMG a tha seo, gun teagamh, gum faod clann teagasg agus brosnachadh fhaighinn gu ìre is gum fàs iad fìor mheasail air a' Ghàidhlig.[20]

Cha tuirt ach aon sgoilear gu fosgailte nach robh a' Ghàidhlig cudromach dhi. Ghabh an tè sin ri sealladh pragtaigeach, a' daingneachadh nach b' e ach cànain eile a bh' anns a' Ghàidhlig, agus nach biodh cànain sam bith gu sònraichte cudromach dhi:

Uill, tha e cànan, agus ... tha e, chan eil e mar *particularly* cudromach dhomh, ach chan eil cànan sam bith *particularly* cudromach dhomh. Bhiodh mi a' bruidhinn cànan sam bith ma bha daoine, a h-uile duine eile ga bhruidhinn. (Sg-3-BS)

'S e puing inntinneach a tha seo, seach gun do mhìnich i cànain mar mheadhan conaltraidh a-mhàin, gun a bhith a' gabhail a-steach cheanglaichean cultarach, eachdraidheil no càil a bharrachd aig ìre fhor-chànanach. Chaidh sgoilear eile leis a' bheachd sin gu ìre, agus thuirt i gun robh a' Ghàidhlig cudromach dhi, ach a-mhàin a chionn 's gum b' e cànain a bharrachd dhi a bh' innte.

Chuir iomadh sgoilear an cèill gun robh iad air tòiseachadh air a bhith a' faireachdainn na bu shònraichte, air sgàth 's gun robh a' Ghàidhlig aca. A rèir choltais, bha an fheadhainn sin air cluinntinn gun robh dà-chànanas glè fheumail dhaibh agus gun robh rudeigin buannachdail a bharrachd aca nach biodh aig clann aon-chànanach.

'S dòcha airson, tha e math a bhith mar, tha daoine eile .. a' bruidhinn Beurla, agus tha sinne a' bruidhinn Gàidhlig, agus tha e math, airson tha sinne diofraichte, ann an dòigh, sònraichte againn fhèin. (Sg-19-BS)

---

19 Tha Alison d'Anglejan a-mach air an aon seòrsa ceangail eadar cànain a tha na dàrna cànain (C2) don chloinn (is gun cheangal ris an teaghlach) agus fèin-aithne na cloinne ann an Canada (d'Anglejan 1990).
20 Cf. Oliver 2010, Ó Duibhir 2009, Coupland et al. 2005.

.. Tha e a' ciallachadh tòrr riumsa, oir ma bhiodh mi dìreach ann an Lunnainn is bhidh mi dìreach a' dol gu sgoil eile, is cha robh mi ag ionnsachadh .. .. cànan eile, tha mi a' faireachdainn *really* .. .. toilichte mu dheidhinn sin, oir tha, chan eil anns an, ann an *Primary school* ann am mar *England*, chan eil, .. anns an, ann an Sasainn, chan eil thu *really* a' bruidhinn .. cànan eile, anns an sgoil, tha thu dìreach a' bruidhinn Beurla [...]. (Sg-33-BS)

Shaoileadh iad cuideachd gun robh a' Ghàidhlig gan dèanamh sònraichte dìreach leis gun tug i buaidh a bharrachd dhaibh a bhiodh gam fàgail eadar-dhealaichte bhon mhòr-shluagh, ann an dòigh mhath nam beachd-san.

Chualas bho aon sgoilear gun robh a' Ghàidhlig cudromach dhi a chionn 's gum faigheadh i tuilleadh chothroman tron Ghàidhlig na gheibheadh i leis a' Bheurla a-mhàin. Bha i a-mach air an àm sin fhèin, a thaobh phròiseactan agus thachartasan sònraichte ann am FMG – cha robh coltas ann gun do smaoinich an sgoilear sin air, mar eisimpleir, cothroman obrach san àm ri teachd.

Am measg nan sgoilearan a thug seachad am beachd gun robh a' Ghàidhlig cudromach dhaibh, rinn aon sgoilear beagan iomraidh air suidheachadh na Gàidhlig, a' sealltainn gun robh i mothachail gu ìre gum b' e mion-chànain a bh' innte agus gun robh i ann an cunnart:

Agus dè tha a' Ghàidhlig a' ciallachadh dhutsa, gu pearsanta?
Tha mi a' smaointinn gu bheil e gu math feumail a bhith ga h-ionnsachadh air sgàth 's ged nach eil *like clue* aig tòrr daoine gu bheil Gàidhlig ann, nuair a tha thu a' faicinn cuideigin ga bhruidhinn agus tha thu a' faicinn iad .. agus tha thu a' faicinn tòrr daoine Beurla mun cuairt air, tha i a' toirt ort mhothachadh nach eil mòran Gàidhlig ann ... air fhàgail.
[...]
A bheil i cudromach dhutsa?
Tha!
Carson a tha sin?
Air sgàth 's .. uill, bha mo, bha mo mhàthair ag innse dhomh dè cho cudromach 's a tha e, ach bho bha mi a' mhothachadh a' mhòr-cuid dheth leam fhèin. (Sg-17-BS)

Tha e annasach gun do sheall sgoilear òg beagan tuigse air ceistean ideòlach ceangailte ris a' Ghàidhlig mar-thà. Daingnichidh seo cho comasach agus tuigseach 's a tha cuid de chlann fiù 's aig aois glè òg is gum b' urrainn dhaibh dèiligeadh ri fios a-steach, mar eisimpleir, mu shuidheachadh na Gàidhlig. 'S math dh'fhaodte nach tuig iad poileataigs cànain gu mionaideach no gu foirmeil, ach dh'fhàs e follaiseach gu bheil sgoilearan ann a mhothaicheas barrachd mun chànain fhèin na feadhainn eile, seach a bhith a' gabhail rithe mar chànain nan clasaichean sgoile a-mhàin. Tha teans ann gun neartaicheadh tuigse den t-seòrsa sin an cuid sheasamhan mu choinneimh na Gàidhlig, air sàillibh 's gun tuig a' chlann barrachd mun dreuchd[21] aca fhèin mar luchd-bruidhinn na Gàidhlig, ma tha iad mothachail air suidheachadh na cànain (gu farsaing agus gu h-ionadail).

Sealladh inbheach air seasamhan na cloinne (BS) mu choinneimh na Gàidhlig

Luchd-teagaisg BS

An àite a bhith a' faighneachd dhaibh an robh iad an dùil gun robh a' Ghàidhlig cudromach don chloinn, chuir mi ceist beagan eadar-dhealaichte air an luchd-teagaisg agus air na pàrantan. Thòisich mi bhon taobh eile, a' faighneachd am biodh na sgoilearan a' gearan mun Ghàidhlig, air neo an robh iad dòigheil gu leòr a bhith air an teagasg tron Ghàidhlig (agus, do chuid, a bhith ga cluinntinn is ga cleachdadh aig an taigh cuideachd). Bha mi an dùil gum faighinn freagairtean na bu shusbaintiche air an dòigh seo, oir bhiodh e na bu choltaiche gun cluinneadh na h-inbhich bhon chloinn mura robh iad toilichte, seach nan robh iad buileach dòigheil leis an t-suidheachadh ionnsachaidh aca agus na cànainean na lùib. Cuideachd, cha robh mi an dùil gum biodh mòran sgoilearan idir ag innse don luchd-teagaisg an robh iad a' faireachdainn làidir mun Ghàidhlig agus carson.

A rèir na thuirt iomadh neach-teagaisg, cha bhiodh mòran cloinne a' gearan mun Ghàidhlig, oir ghabhadh a' mhòr-chuid dhiubh rithe mar chànain na sgoile agus cànain an fhoghlaim aig an ìre sin. Chuala mi bho aon neach-teagaisg gum biodh a' chlann ga fhaighinn na bu duilghe a bhith ag ionnsachadh tro mheadhan na Gàidhlig, air sgàth 's gun do chuir e barrachd dhùbhlan romhpa, ach gun robh iad fhathast toilichte a dhèanamh.

> *So* tha iad a' faighinn .. a' Ghàidhlig nas duilghe. Fhios agad, tha e nas *challenging* dhaibh, tha mi a' creids. *So*, ach cha chanainn, tha iad toilichte gu leòr a bhith ann, is, *you know,* chan e *really* gearan a th' ann, ach 's dòcha, .. bidh iad a' faighinn e beagan nas duilich na, na am Beurla, *so* chan eil iad, chan eil iad cho fileanta anns a' Ghàidhlig 's a tha iad sa Bheurla. (NT-8-BS)

Chuir neach-teagaisg eile cuideam air a' phuing gun dèanadh e feum don chloinn nan robh barrachd cheanglaichean iomadh-fhillte aca ris a' Ghàidhlig, a' gabhail a-steach cultar, sgeulachdan, dràma agus fealla-dhà ceangailte ris a' chànain. Bhiodh e na bu choltaiche an uair sin gum fairicheadh a' chlann na bu dlùithe ris a' chànain:

---

21 dreuchd 'role'.

A bheil sibh a' smaoineachadh gu bheil [...] cuspairean mar sin [.i. cultar,
eachdraidh, dràma msaa], [mar eisimpleir] beagan cultair air a' Ghàidhlig
tro sgeulachdan is rudan mar sin, a bheil sibh a' smaoineachadh gu bheil sin
cudromach gus am bi [a' chlann] a' faireachdainn beagan nas ceangailte ris
a' Ghàidhlig, 's dòcha?
O, tha, tha. Tha mi a' smaoineachadh, tha sin a' cuideachadh leotha.
Gheibh thu eachdraidh is gheibh thu .. .. dè th' ann, *humour*, airson,
fhios agad, tro na sgeulachdan is tro dràma chì thu rudan mar sin, agus
rudan a tha èibhinn ann an aon chànan, chan eil e, no ann an aon cultar,
chan eil e èibhinn sa chultar eile, *so* tha sin gu math cudr-, gu math
feumail, is gu math cudromach, tha. (NT-6-BS)

Bha tidsear eile air mothachadh mar a dh'atharraicheadh faireachdainnean
is seasamhan na cloinne eadar a' bhun-sgoil agus an àrd-sgoil. Chuir i an cèill
gun robh na sgoilearan fhathast ceart gu leòr sa bhun-sgoil, gun cus dragh mun
Ghàidhlig idir. Bhiodh ìomhaigh làidir agus thaiceil aca den chànain aig an àm
sin, ach smaoinich an tidsear gun atharraicheadh sin nuair a dh'fhàsadh iad na
bu shine is gun cailleadh mòran dhiubh seasamhan taiceil ma choinneimh an
uair sin:

[M]ar a tha iad a' dol suas san sgoil, tha iad a' call ... chan eil fhios 'am,
tha iad a' call, mar gum biodh, dè an ìomhaigh [...] a th' aig Gàidhlig.
Chan eil fhios 'am dè rud a th' ann. Mar gum biodh, tha iad a' dol tro ...
chan eil e *cool*, a bhith a' bruidhinn na Gàidhlig [...]. (NT-1-BS)

Pàrantan BS (air seasamhan na cloinne)
Anns na h-agallamhan ri pàrantan dh'fhaighnich mi am biodh a' chlann aca a'
gearan aig amannan mun Ghàidhlig san sgoil air neo mu bhith ga cleachdadh aig
an taigh. Thàinig e am bàrr nas freagairtean gun robh a' chànain cho gnàthach
don fheadhainn le Gàidhlig bho thùs agus à dachaighean far am bruidhneadh a
h-uile neach i is nach tigeadh e a-steach orra gearan ma deidhinn. Don chloinn
sin, bha a' chànain ceangailte ris gach raon dem beatha agus, mar sin, chan
èireadh smuaintean de leithid annta:

Am bi a' chlann agaibh a' gearan mun Ghàidhlig aig amannan?
Cha bhi. Airson, agus tha mi a' smaoineachadh gur e an t-adhbhar airson,
gu bheil i dìreach nàdarrach ... dhaibh, agus sin a tha iad a' bruidhinn,
anns an taigh agus riumsa agus ri daoine eile aig a bheil Gàidhlig, *so*, cha
bhi. (P-1-BS)

Chuala mi freagairtean coltach ri seo bho bhuidheann bheag de phàrantan
a chùm a' Ghàidhlig rin cuid cloinne fad an t-siubhail. Bhiodh fèin-aithne

na cloinne dlùth-cheangailte ris a' chànain; mar bu trice, ann an dòigh neo-mhothachail. 'S e toradh fìor mhath a th' ann gu bheil clann am measg nan sgoilearan fhathast dom bheil a' chànain cho nàdarrach is nach eil fiù 's seasamh sam bith aca ma coinneimh – tha i stèidhichte nam beatha, agus cha dèanadh cuid measadh air sin, dìreach mar nach dèanadh, mar eisimpleir, pàiste aon-chànanach na Beurla measadh air mar a dh'fhairich i mun Bheurla.

Chuala mi bho phàrantan eile gum biodh a' chlann aca a' gearan mun Ghàidhlig bho àm gu àm, a chionn 's gun robh a' Ghàidhlig na bu duilghe dhaibh ann an còmhradh na a' Bheurla. A rèir choltais, thachradh sin nuair a bhiodh iad sgìth, a' strì le briathrachas air neo mura tuigeadh iad a h-uile pàirt de na thuirt cuideigin riutha sa bhad. Chunnaic mi gun nochd an suidheachadh sin gu h-àraidh ann an taighean far a bheil na pàrantan nan luchd-ionnsachaidh. Tha teans ann gum mothaich a' chlann gum biodh e na b' fhasa don a h-uile duine a bhith a' bruidhinn sa Bheurla agus gum fàsadh iad gruamach an uair sin, air sgàth 's nach tuigeadh iad carson nach atharraicheadh duine cànain conaltraidh an teaghlaich, ma bha cànain eile aca uile anns an robh iad na b' fhileanta.

> [T]ha D (a nighean) an-còmhnaidh a' gearan mu dheidhinn Gàidhlig. Tha i an-còmhnaidh ag ràdh '*Ah, just say it in English, Mum*'. [...] tha e, dìreach tha e nas fhasa bruidhinn sa Bheurla dhi. *So* cha, cha chreid mi gu bheil i an aghaidh Gàidhlig, tha i dìreach leisg. (P-2-BS)

Gu ìre, tha e coltach gum bi seasamhan de leithid stèidhichte barrachd air adhbharan pragtaigeach seach ideòlach: cho luath is a thuigeas a' chlann gu bheil Beurla aig a h-uile duine timcheall orra agus gu bheil a' chuid as motha de dhaoine nas siùbhlaiche innte na anns a' Ghàidhlig, fairichidh iad gum biodh a' Bheurla na bu fhreagarraiche.[22]

Thog dithis phàrant a' phuing gun rachadh clann aig amannan tro dhiofar ìrean a thaobh sheasamhan mun Ghàidhlig, bho thoiseach na bun-sgoile gu deireadh na h-àrd-sgoile. Mar a chunnaic i am measg a cloinne fhèin, bhiodh cuid air a dhol bho bhith measail air a' Ghàidhlig (bun-sgoil, ìrean tràtha) gu ìre far nach robh iad airson a bruidhinn ro thric tuilleadh, gu h-àraidh còmhla ri caraidean agus comhaoisean (toiseach na h-àrd-sgoile), ach gun tilleadh iad gu seasamhan taiceil agus gu faireachdainnean na bu phearsanta mun Ghàidhlig a-rithist aig deireadh na h-àrd-sgoile no fiù 's às dèidh sin:

> [N]uair a bha an nighean agam, nuair a bha ise trì deug, bha ise, tha i a-nis, bidh ise .. fichead 's a h-aon am-bliadhna, is thuirt ise gu bheil i *really* toilichte gun deach a cur dhan *Ghaelic medium,* a-nis. [...] tha i

---

22 Faic Coupland et al. 2005 airson eisimpleirean coltach ri seo ceangailte ris a' Chuimris.

a-nise a' cantainn gum bu, tha i *really* toilichte gun robh i ann. Bhon tha an Gàidhlig aice, is 's ann a-nis, an-dràsta, tha ise a' tòiseachadh bruidhinn a' Ghàidhlig air ais rium. Fhios agad. Cha robh nuair a bha i san sgoil. *Not the 'in'-thing, you know. But* a-nise, tha i a' feuchainn ri bruidhinn air ais rium, anns a' Ghàidhlig. Tha, fhios agad, mar as aosta a dh'fhàsas iad, *especially* bhon a tha i air a' *mhainland* [...]. (P-15-BS)

Tha coltas ann gu bheil e fìor do chuid den chloinn, ma gheibh iad bunait mhath a thaobh sheasamhan mun Ghàidhlig sna bliadhnaichean tràtha, gu bheil e comasach na seasamhan sin 'ath-dhùsgadh', fiù 's às dèidh bhliadhnaichean.[23] A' togail air a' bheachd sin, bhithinn an dùil gum biodh e cuideachd comasach seasamhan na cloinne a neartachadh mus ruig iad an ìre sin far nach bi ùidh aca sa Ghàidhlig (no far an tionndaidheadh iad fiù 's na h-aghaidh), gus nach cailleadh iad na bliadhnaichean cudromach sin, a thaobh spèis agus taic don chànain.

Mar a chunnaic sinn ann am freagairtean nan sgoilearan fhèin, tha e coltach gu bheil cuid dhiubh mothachail air buannachdan dà-chànanais gu ìre, agus moiteil gu bheil còrr is aon chànain aca. Thog dithis phàrant an cuspair sin, agus iad an dùil gun do thuig an cuid cloinne beagan mu na buannachdan a bheireadh dà chànain aig ìre fhileanta dhaibh.

[T]ha A (a nighean), 's toil leatha, tha i toilichte gu bheil i sa Ghàidhlig, is tha i a' tuigsinn gu bheil i ag ionnsachadh dà chànan is tha i a-nis a' tuigsinn am feum a tha sin a' dol a dhèanamh dhi, nuair a dh'fhàsas i nas sine. (P-12-BS)

Bidh an tuigse gun dèan a' Ghàidhlig fiù 's barrachd feum dhaibh na cothroman ceangailte rithe san sgoil a-mhàin air leth taiceil don chloinn a thaobh a bhith a' nochdadh fhaireachdainnean domhainn is sheasamhan taiceil mun Ghàidhlig.[24]

Chuir ceathrar phàrant taic ris a' bheachd gun cuidicheadh fiosrachadh cultarach air a' Ghàidhlig na sgoilearan gus fèin-aithne Ghàidhlig a thogail, co-dhiù gu ìre, agus gus a bhith a' faireachdainn moiteil aiste agus às na ceanglaichean a bh' aca rithe. Às a' bhuidhinn sin, cha d' fhuair mi fiosrachadh

---

23 Chan eil sin ri ràdh, ge-tà, gun till mòran sgoilearan air ais don chànain ann an dòigh spreigeach às dèidh bhliadhnaichean air falbh bhuaipe agus, mar eisimpleir, gun tòisich iad a-rithist air a bhith ga bruidhinn is a' cruthachadh àite dhi nam beatha – aig an obair no nam beatha phrìobhaideach. Rinn Stiùbhart Dunmore (2012) rannsachadh air an dearbh chuspair, agus e ag obrachadh a-mach dè bha sgoilearan às a' chiad ghinealach de FMG ris san latha an-diugh: ciamar a bha iadsan a' faireachdainn mun Ghàidhlig, dè an seòrsa ceangail a bh' aca eadar a' chànain is an cuid fèin-aithne agus gu dè an ìre a bha iad air a' Ghàidhlig a chur gu feum nam beatha bho dh'fhàg iad an sgoil?

24 Rothach 2006.

air seasamhan na cloinne mar a bha iad aig àm nan agallamhan fhèin, ach chuir na freagairtean ri sealladh na b' fhaide air adhart a thaobh beachdan cànain na h-òigridh, le bhith a' coimhead air na ghabhadh dèanamh gus am biodh seasamhan na cloinne na bu treasa is na bu taiceile don Ghàidhlig bho aois òg.

SEASAMHAN NAN SGOILEARAN (AS) MU CHOINNEIMH NA GÀIDHLIG

B' e tlachd a bh' ann a bhith a' faicinn cho taiceil is dlùth is a bha mòran sgoilearan aig ìre na bun-sgoile a' faireachdainn mu choinneimh na Gàidhlig. Bha an toradh sin fada na bu làidire na bha mi an dùil, chan e a-mhàin gun robh àireamh cho mòr de chlann a' faireachdainn ceangal pearsanta ris a' Ghàidhlig, ach, cuideachd, nach biodh cus dhiubh a' gearan mu bhith ag ionnsachadh tron Ghàidhlig, ged a bhiodh iad mothachail gum biodh a' mhòr-chuid de dh'obair sgoile na b' fhasa dhaibh tro mheadhan na Beurla an toiseach. Chunnaic sinn gun robh seasamhan sgoilearan BS gu mòr stèidhichte air faireachdainnean pearsanta, gun a bhith a' gabhail a-steach cho-theagsaichean a bharrachd air am beatha fhèin. Bidh e inntinneach faighinn a-mach a-nis, dè an seòrsa bheachdan a bh' aig sgoilearan na h-àrd-sgoile, agus cò ris a bha bunaitean nam beachdan sin coltach: mar eisimpleir, am biodh faireachdainnean pearsanta a cheart cho cudromach dhaibh mar bhonn-stèidh nan seasamhan no an stèidhicheadh iad an cuid bheachdan air factaran eile?

Chuir mi na h-aon cheistean mu dheidhinn fèin-aithne agus sheasamhan ceangailte ris a' Ghàidhlig air sgoilearan na h-àrd-sgoile, ma-thà. Thuirt 14 sgoilearan gun robh a' Ghàidhlig cudromach dhaibh, ach lùghdaich feadhainn nam measg susbaint nan ràdhan sin le bhith a' cur 'beagan', 'rud beag', 'caran' no 'cudromach, *I suppose*' ris.

> Tha mi a' smaoineachadh gu bheil e a' ciallachadh, tha e a' toirt air ais uile mar, tha dìreach cuimhne agam, 's e cànan math a bhith agad, airson, tha e dìreach agam, mar, gu fileanta. Agus tha e *kind of* snog oir dh'ionnsaich mi san .. bun-sgoil e, agus tha e air a bhith agam cha mhòr fad mo bheatha, *so*.
> *An canadh tu gu bheil i cudromach dhutsa?*
> *Yeah*. Tha e caran, chan eil e mar uabhasach cudromach, ach tha i caran cudromach.
> (Sg-57-AS)

> *Agus dè tha a' Ghàidhlig a' ciallachadh dhutsa, gu pearsanta?*
> .. Uill, cànan eile, ... cànan sònraichte dìreach, *yeah*.
> *A bheil i cudromach dhutsa?*
> *I suppose*, aha. (Sg-77-AS)

Cha tàinig pàtran neo-àbhaisteach am bàrr a thaobh nan diofar sgìrean; bha sgoilearan às a h-uile àite sa bhuidhinn seo.

Chuala mi bho bhuidheann bheag (4) gun robh a' Ghàidhlig cudromach dhaibh aig ìre phearsanta, a chionn 's gun robh i ceangailte ris an teaghlach aca. Bha dithis sgoilearan nam measg a dh'ainmich fiù 's an cuid shinnsearan a bhruidhneadh Gàidhlig a-mhàin agus, air sgàth sin, dh'fhairich iad gun robh e cudromach a' chànain a chumail a' dol san teaghlach.

> *A bheil i cudromach dhutsa?*
> Tha.
> *Carson a tha sin?*
> .. Tha, bha daoine anns an teaghlach agam ro Mamaidh is ro Ghranaidh a' bruidhinn Gàidhlig, agus .. uill, tha i 's dòcha caran a' ruith anns an teaghlach againn. Agus tha i math a cumail beò.
> (Sg-42-AS)

A bharrachd air a ceangal ris a' Ghàidhlig tron teaghlach, thog sgoilear eile a' phuing gun d' fhuair i a' Ghàidhlig glè fheumail na beatha, air sgàth 's gun robh dà chànain aice seach aon. Bha i den bheachd gun cailleadh daoine aon-chànanach buannachdan a gheibheadh iadsan tro dhà-chànanas. Dh'aontaich còignear sgoilear eile ris a' phuing seo, ag ràdh gun robh e fìor fheumail dhaibh dà chànain a bhith aca agus gun do dh'fhairich iad sònraichte air sgàth sin. Tha coltas ann gun cuala a' chlann seo beagan mu bhuannachd an dà-chànanais agus mu bhuannachdan ann am foghlam dà-chànanach.

> *Agus dè tha a' Ghàidhlig a' ciallachadh dhutsa, gu pearsanta?*
> .. ... Tha e cànan math is tha e aon de na cànanan a tha .. a' còrdadh rium gu mòr is tha e furasta ri ... bruidhinn ri daoine is, tha e a' dèanamh .. uill, tha e dìreach cànan uabhasach math.
> *A bheil i cudromach dhutsa?*
> .. Tha, tha i cudromach dhomh.
> *Carson a tha sin?*
> .. ... Chan eil fhios 'am *really*, uill, tha e a' cuideachadh le ... d' obair is ... dìreach a, uill, nuair a tha Gàidhlig agad, faodaidh thu a' dèanamh cànan eile, mar, nas fhurasta. (Sg-53-AS)

> *A bheil e a' còrdadh riut a bhith a' dol dhan sgoil seo?*
> Tha! Tha e inntinneach airson tha thu ag ionnsachadh, *like*, .. cànan ùr, agus tha e dìreach diofraichte bho a h-uile sgoil eile.
> [...]
> *Dè tha sònraichte math ma deidhinn?*
> Tha e a' cumail *like* cànan a' dol, airson *like*, chan eil mòran daoine ga

bhruidhinn [anns an sgìre aice], *so* tha e math gu bheil *like* sgoiltean ann an Alba ga bhruidhinn, agus tha e math. Sin .. tha e, *kind of*, tha sinn *different? Like* tha thu a' faireachdainn diofraichte bho a h-uile duine, *so*, tha thu dìreach a' faireachdainn math a bhith a' dol gu sgoil diofraichte. (Sg-59-AS)

Mar a chithear san eisimpleir mu dheireadh, chòrd e ris an sgoilear a bhith eadar-dhealaichte bhon mhòr-chuid de dhaoine, a bharrachd air a bhith a' faicinn buannachd ann an ionnsachadh cànain ùr. Cuideachd, sheall i beagan tuigse air ath-bheothachadh cànain anns an t-seagh is gum biodh e feumail do mhion-chànainean a bhith air an teagasg is air an cleachdadh mar mheadhan ann an sgoiltean, seach gun cuireadh sin ri àrdachadh àireamh an luchd-bruidhinn.

Am measg nan sgoilearan a chunnaic feum ann an dà-chànanas, chuir tè faireachdainn a bharrachd an cèill. Cha robh i fhèin fhathast cinnteach dè bh' ann, ach mhothaich i gum biodh suidheachaidhean cànanach ann far nach biodh e freagarrach a' Bheurla a bhruidhinn. Mhìnich i sin san dòigh is gum biodh e a' faireachdainn na b' fheàrr a' Ghàidhlig a chleachdadh ri cuid de dhaoine, gu h-àraidh nan robh fios aice ro-làimh gun robh a' Ghàidhlig aca:

Agus dè tha a' Ghàidhlig a' ciallachadh dhutsa, gu pearsanta?
'S e cànan, cànan eile as urrainn dhomh a chleachdadh ma tha mi ag iarraidh, ma tha Beurla a' fàs beagan dòrainneach. Agus ... tha e cuideachail airson na cuspairean eile a th' agam uaireannan.
A bheil i cudromach dhutsa?
Tha mi a' smaoineachadh gu bheil e ... a' dèanamh rudan ... nas, *yeah*, tha rudan a' fàs beagan nas fheàrr le Gàidhlig, .. dìreach ma tha thu a' bruidhinn ri cuideigin, no ... tha an rud nas fheàrr ma tha fhios agad air Gàidhlig. Tha e *kind of*, chan eil e cho, ... ma tha fhios aca air Gàidhlig, tha mi a' faireachdainn nas fheàrr bruidhinn riutha, ma tha tòrr Gàidhlig aca. (Sg-50-AS)

Sheall an sgoilear seo tuigse im-fhiosraichte[25] air cleachdaidhean cànain agus raointean-cleachdaidh ceangailte ri daoine seach ri àiteachan a-mhàin. Ged nach b' urrainn dhi sin a mhìneachadh gu mionaideach fhathast, bha e inntinneach faicinn gun robh faireachdainn aice airson nan cleachdaidhean cànain a bhiodh iomchaidh ann an diofar shuidheachaidhean.

Cha tuirt ach dithis sgoilear gun robh dlùth-cheangal aca ris a' Ghàidhlig a thaobh fèin-aithne, agus bha aonan nam measg a chuir an dàimh ri a fèin-aithne an cèill ann an dòigh gu math domhainn:

---

25 im-fhiosraichte 'intuitive'.

Agus dè tha a' Ghàidhlig a' ciallachadh dhutsa, gu pearsanta?
... Far a bheil mi, cò às a tha mi. *I suppose.* Fhios agam gu bheil, *yeah*,
bha mi a' bruidhinn Gàidhlig is bha fhios agam gum bi e à seo, is gun e
a' chiad chànan a bh' agam, *so* ... tha e cudromach dhòmhsa, *I suppose.*
(Sg-69-AS)

A rèir a h-aithris, bha a' Ghàidhlig na pàirt mhòr den bheatha aice agus, gu
h-àraidh, riochdaich i freumhaichean pearsanta an sgoileir.

Chuir dithis sgoilear às na h-Eileanan Siar an cèill gun robh a' Ghàidhlig
a' ciallachadh mòran dhaibhsan, air sgàth 's gum b' e cànain chudromach mar
mheadhan conaltraidh sa choimhearsnachd aca a bh' innte. Thuirt iad gun robh
a' Ghàidhlig ga bruidhinn le àireamh mhòr de dhaoine timcheall orra agus, mar
sin, gun cailleadh a h-uile duine aig nach robh i a-mach a thaobh conaltraidh
san sgìre, gu h-àraidh còmhla ri daoine na bu shine.

Bhruidhinn mi ri triùir sgoilear a bha mì-chinnteach mun Ghàidhlig
agus mu na faireachdainnean aca ma deidhinn. Dh'aidich aon sgoilear nach
robh i den bheachd gun robh a' Ghàidhlig cudromach dhi, ach, aig an aon
àm, bhruidhinn i mu bhuannachdan a fhuair i agus a gheibheadh i an lùib
ionnsachadh chànainean eile san àm ri teachd, air sgàth 's gun robh i air a bhith
dà-chànanach bho aois òg. A thuilleadh air sin, sheall i tuigse gum faodadh
a' Ghàidhlig a bhith feumail airson obair fhaighinn às dèidh na sgoile no an
oilthigh, ach, leis nach robh i fhèin an dùil gum biodh i ag iarraidh obair anns
a' Ghàidhlig, thàinig i chun a' cho-dhùnaidh nach robh a' chànain feumail dhi
san t-seagh sin.

Agus dè tha a' Ghàidhlig a' ciallachadh dhutsa, gu pearsanta?
.. Uill, chan eil ... tòrr, airson, chan eil mi *really* ag iarraidh a' dèanamh
joba man, ann an Gàidhlig. Bu chaomh leam a' dèanamh joba ann
am Beurla. Ach tha e math airson tha e nas fhurasta .. man .. *learning*
cànanan ùr, ... man ... Spàinnis no rudan, ma tha, ma tha thu air cànan
ùr ag ionnsachadh mar-thà.
Aidh, tha sin fìor. A bheil i cudromach dhutsa idir, ma-thà?
Chan eil *really.* (Sg-72-AS)

Chuala mi bho sgoilear eile am measg na triùir sa bhuidhinn sin nach robh i
cinnteach dè bha a' Ghàidhlig a' ciallachadh dhi. Bha na beachdan aice air an
stiùireadh le faireachdainnean pearsanta – measail oirre/gun a bhith measail
oirre – agus le mar a chaidh dhi ann an ionnsachadh na Gàidhlig, a bhiodh aig
amannan duilich dhi:

.. Tha Gàidhlig ... *fifty-fifty* riumsa, chan eil fhios 'am. Carson, chan eil
... is toil leam e ... agus cha toil leam e, *so*, .. *(gàire)*

Am faod thu seo a mhìneachadh rud beag?
.. Tha e dìreach ... doirbh riumsa. *Like,* nuair a tha rudeigin doirbh, a bhith
ri dhèanamh, mar *translations,* no ... rudeigin mar sin.
An canadh tu gu bheil a' Ghàidhlig cudromach dhutsa?
.. ... Tha e beagan. .. Ach tha e doirbh. (Sg-74-AS)

Mheasgaich an sgoilear seo ìre nan duilgheadasan a bh' aice leis a' Ghàidhlig le a
cuid fhaireachdainnean bunaiteach mun chànain, .i. an robh i measail oirre gus
nach robh. Bhiodh sin a' ciallachadh gun robh a cuid sheasamhan an crochadh gu
mòr air na comasan aice sa Ghàidhlig: nan tigeadh i air adhart ceart gu leòr is nan
dèanadh i adhartas innte, dh'fhairicheadh i dèidheil air a' Ghàidhlig, ach nuair a
gheibheadh i beagan trioblaideach is duilich i, dh'atharraicheadh na seasamhan
sin.

A rèir choltais, chaidh bruidhinn ri iomadh sgoilear aig ìre na h-àrd-sgoile air
cothroman a bharrachd a gheibheadh iad leis a' Ghàidhlig san àm ri teachd, nuair
a bhiodh iad a' sireadh obair. Chuala mi bho sheachdnar dhiubh gum b' e sin
am prìomh adhbhar a smaoinich iad gun robh a' Ghàidhlig cudromach dhaibh.
Thaisbein iad fòcas air cothroman a bheireadh a' Ghàidhlig dhaibh san àm ri
teachd agus, cuideachd, air cothroman a bharrachd fhad 's a bha iad fhathast
san sgoil, mar eisimpleir, pròiseactan eadar-dhealaichte (air taobh a-muigh agus
air taobh a-staigh na sgoile), gu h-àraidh feadhainn ceangailte ris na meadhanan
Gàidhlig.

Uill, nuair a bha mi nas ... coimhead airson mar obair, nuair a tha mi nas
sine, bidh e nas fhurasta fhaighinn obair ma tha Gàidhlig agad. (Sg-52-AS)

Agus dè tha a' Ghàidhlig a' ciallachadh dhutsa, gu pearsanta?
.. 'S toil leam a bhith a' bruidhinn ann an Gàidhlig, agus tha e a' toirt tòrr
cothroman eile seach dìreach mar rudan a bhios tu a' dèanamh san sgoil.
(Sg-78-AS)

An canadh tu gu bheil i cudromach dhutsa?
Rud beag, tha. Faodaidh, tha e, faodaidh thu a' cleachdadh e airson a'
faighinn nas motha de *job*aichean airson faodaidh tu faighinn obair anns
a' Ghàidhlig. (Sg-68-AS)

A bheil a' Ghàidhlig cudromach dhutsa?
.. Tha.
Carson?
Airson, ... chan eil fhios agam.
A bheil i feumail dhutsa?
Bidh nuair a .. faigh mi *job*. .. Agus, uill, ... nuair a tha daoine a' faicinn
mo CV. (Sg-47-AS)

'S e seasamhan glè thaiceil ach rudeigin dreuchdail[26] a bh' aig na sgoilearan sin a thaobh na Gàidhlig.

Dh'aithnich mi beagan mothachaidh air suidheachadh na Gàidhlig agus air beachdan ideòlach am measg seachdnar cloinne. Sheall an fheadhainn sin beagan tuigse agus moit ceangailte ris a' chànain agus a suidheachadh. Chuir aon sgoilear cuideam air a' phuing gun robh a' Ghàidhlig air leth cudromach do dh'Alba leis gun dèanadh i fìor shònraichte i, an taca ri dùthchannan eile gun Ghàidhlig. Ged nach do mhìnich an sgoilear am beachd seo gu domhainn, dh'fhàs e soilleir gun do thuig i gun robh a' Ghàidhlig sònraichte do dh'Alba agus bha an t-adhbhar sin gu leòr dhi airson spèis a shealltainn ma coinneimh.

> 'S caomh leam e [a' Ghàidhlig], mar, tha a' toirt rudeigin dha Alba nach eil aig, can, Spàin no Astràilia no, .. chan fhaigh iadsan ag ràdh 'Uill, .. tha Gàidhlig againn!' No rudan mar sin, agus chan fhaigh Èirinn a bharrachd air sgàth .. tha fèir, tha Gàidhlig diofraichte againn, bho Gàidhlig Èirinneach. (Sg-54-AS)

> *Agus dè tha a' Ghàidhlig a' ciallachadh dhutsa, gu pearsanta?*
> Tha mi a' faireachdainn caran sònraichte, oir mar, bha e caran, bha iad a' feuchainn ri faighinn às leis, ach mar a-nis tha iad air toirt air ais, agus tha daoine, mar barrachd daoine a' bruidhinn is tha mar tòrr daoine a thòiseachadh cuideachd, *so*. (Sg-79-AS)

Mhìnich sgoilearan eile sa bhuidhinn seo cho cudromach is a bha e, nam beachd-san, cumail a' dol leis a' Ghàidhlig agus tuilleadh dhaoine a bhrosnachadh gu bhith ga h-ionnsachadh is ga cleachdadh. Thog iad a' phuing gun robh a' Ghàidhlig cudromach mar phàirt den chultar acasan agus aig na teaghlaichean aca.

> *Agus dè tha a' Ghàidhlig a' ciallachadh dhutsa, gu pearsanta?*
> Dìreach mar, mo chultar. Agus de mo mar, mo phàrantan, agus tha mi ag iarraidh bruidhinn e gu daoine mar, eile, *so* ... airson tha iad a' cumail an .. mar .. ... dè th' ann an *language* a-rithist?
> *Cànain.*
> Mar, a' cumail an cànan beò, agus mar, airson a h-uile duine eile, mar ionnsachadh e. (Sg-45-AS)

Tha mi airson aon seasamh eile a thogail a chaidh ainmeachadh le sgoilear. Bha an tè sin cleachdte ri a' Ghàidhlig a bhruidhinn is a chluinntinn nuair a bheireadh i seachad làithean-saora air aon de na h-Eileanan Siar. Mar sin, bhiodh i a' cluinntinn na Gàidhlig bho thùs gu cunbhalach an sin, gu h-àraidh mar a bhiodh i ga bruidhinn am measg dhaoine na bu shine. A rèir choltais,

---

26 dreuchdail 'functional'.

mhothaich an sgoilear seo diofar eadar a' Ghàidhlig mar a bhruidhneadh i
fhèin i agus mar a bhruidhneadh na h-eileanaich i, agus thàinig i chun a' cho-
dhùnaidh gun robh a' Ghàidhlig mar a bha i san latha an-diugh – .i. mar a bha
i fhèin cleachdte rithe – na bu shìmplidh na a' Ghàidhlig sna seann làithean:

> [N]uair a tha mi [anns an eilean sin], tha tòrr dhiubh a' bruidhinn
> Gàidhlig a bh' anns na seann làithean, agus tha diofar mòr ann, ach tha
> … tha mi a' smaoineachadh gu bheil an Gàidhlig nas fhasa am bliadhna
> seo. *Like 20th century Gaelic*. Agus tha, tha i a' faighinn .. nas furasta.
> (Sg-75-AS)

Chùm an sgoilear sin a-mach gun robh a' Ghàidhlig a' fàs 'nas furasta' san latha
an-diugh, agus 's e seasamh an ìre mhath cunnartach a tha seo. Tha mi an dùil
gun do mhothaich an tè sin an diofar eadar cànain na sgoile, mar a dh'ionnsaich
i fhèin i is mar a chleachdadh a comhaoisean i, agus a' chainnt ghnàthasach a
bhruidhneadh fileantaich na bu shine.[27] Air an dàrna làimh, seallaidh sin gun
robh deagh sgilean mothachaidh aig an sgoilear seo is gun robh ùidh gu leòr
aice sa chànain airson smaoineachadh mu dheidhinn sin, ach, air an làimh eile,
dh'fhaodadh an seasamh gu bheil a' Ghàidhlig nas sìmplidh an-diugh na b'
àbhaist bacadh a chur air a cuid ionnsachaidh: ma tha i an dùil gu bheil e math
gu leòr Gàidhlig shìmplidh is fhoirmeil a chleachdadh – agus i den bheachd
gum b' i a' chànain a dh'atharraich, an àite a bhith a' ceasnachadh ìre nan sgilean
aicese –[28] carson a bhiodh miann aice an uair sin a comasan fhèin a thoirt am

---

27 Fhuair Pádraig Ó Duibhir (2009) beachdan coltach ri seo bho sgoilearan AS ann an Èirinn,
a ghabh ris gun robh Gàidhlig na h-Èireann mar a bha iad fhèin ga bruidhinn gun a bhith
cho pongail is grinn is a bha i mar a bhiodh inbhich fhileanta ga bruidhinn, agus cha robh iad
airson barrachd oidhirp a dhèanamh gus na sgilean aca a leasachadh.

28 Feumaidh sinn a bhith mothachail an seo air an diofar eadar atharrachadh cànain
gnàthaich, mar a bhios e a' tachairt gu nàdarrach anns a h-uile cànain, thairis air ùine mhòr
fhada, dìreach air sgàth 's gum bi daoine ga cleachdadh gu làitheil agus a' cur bhriathran
ùra, structaran ùra agus chleachdaidhean ùra a-steach, agus atharrachadh cànain air sàillibh
crìonadh cànain. Mar a mhìnich Nancy Dorian (1994 is 1981), chan fhoghainn e ann an
co-theagsa mion-chànain a bhith a' coimhead air atharrachadh cànanach sam bith a thèid a
chleachdadh le daoine òga mar atharrachadh cànanach nàdarrach. Faodaidh sinn a bhith an
dùil ri atharrachaidhean tro na ginealaich a b' òige ann an cànain sam bith, gun teagamh.
Ge-tà, tha diofar eadar atharrachaidhean cànanach a thachras gu gnàthach slaodach, mar
eisimpleir, ann am mòr-chànain sam bith, agus feadhainn a thachras air sgàth mhearachdan,
buaidh na mòr-chànain, mì-chinnt, agus beàrnan eile ann an ionnsachadh na cloinne. Bidh
e doirbh glacadh dè na h-eileamaidean cànain a dh'atharraicheas gu nàdarrach leis an ath
ghinealach, mar a dh'atharraicheadh iad ann am mòr-chànain sam bith cuideachd, thairis
air ùine, agus dè na h-atharrachaidhean a thig a-steach tro bhuaidh na mòr-chànain agus tro
mhearachdan a thèid a dhèanamh sa mhion-chànain air sgàth dìth chothroman cleachdaidh,
dìth fios a-steach agus laigsean ann an seasamhan cànain. Ach, aig an aon àm, tha e air leth
cudromach a bhith mothachail gu bheil an diofar sin ann.

feabhas, a thaobh doimhneachd agus cainnt gnàthasaich? A bharrachd air sin, chailleadh a' Ghàidhlig fhèin a h-inbhe àrd, a chionn 's gun atharraicheadh a h-ìomhaigh, oir bhiodh i air a h-ìsleachadh gu cànain shìmplidh bhunaiteach a chionn sheasamhan mar sin.

SEALLADH INBHEACH AIR SEASAMHAN NA CLOINNE (AS) MU CHOINNEIMH NA GÀIDHLIG

Luchd-teagaisg AS

Mar a rinn mi aig ìre na bun-sgoile, chuir mi ceistean beagan eadar-dhealaichte air luchd-teagaisg agus pàrantan. An àite faighneachd mar a bha a' chlann a' faireachdainn mun Ghàidhlig, bha mi airson faighinn a-mach am biodh na sgoilearan a' gearan gu tric mun Ghàidhlig agus mu bhith air an teagasg troimhpe.

Chuala mi bho cheathrar luchd-teagaisg gun robh a' chlann toilichte gu leòr san fharsaingeachd Gàidhlig a dhèanamh mar chuspair no a bhith air an teagasg ann an cuspairean eile tron Ghàidhlig. Nam beachd-san, bha iad cho cleachdte ris an t-suidheachadh ionnsachaidh sin is nach biodh iad a' gearan ma dheidhinn:

> [G]lè ainneamh a bhios iad .. a bhios iad a' gearan mun Ghàidhlig. Tha iad cleachdte ris. Chan eil sin a' ciallachadh nach eil cuid dhiubh a tha ga faighinn doirbh, ach tha mi a' smaoineachadh aig an aon àm, tha iad cho cleachdte ri bhith air an oideachadh ann an Gàidhlig nach eil e a' cur cus dragh orra [...]. (NT-9-AS)

A rèir triùir luchd-teagaisg eile, bhiodh mòran cloinne sna clasaichean aca a' gearan glè thric gun robh aca ri Gàidhlig agus cuspairean eile tron Ghàidhlig a dhèanamh. Mhìnich aon neach-teagaisg an suidheachadh sin na bu mhionaidiche: leis gach bliadhna a bharrachd san àrd-sgoil gheibheadh a' chlann àireamh na bu lugha de chuspairean tron Ghàidhlig agus, mar sin, bhiodh iad a' fàs na bu chleachdte ri bhith air an teagasg tron Bheurla. Mhothaicheadh iad an uair sin gun robh sin na b' fhasa dhaibh na anns a' Ghàidhlig agus, mar sin, mar a bu lugha a bhiodh àireamh nan cuspairean tron Ghàidhlig a' fàs, 's ann a bu mhotha a bhiodh na gearanan aca ma deidhinn:

> [T]ha feadhainn aca a' gearan .. fhios 'ad, 'Am feum sinn seo a sgrìobhadh ann an Gàidhlig, am feum sinn seo a dhèanamh ann an Gàidhlig', is tha mi a' smaoineachadh gu bheil an gearan a' fàs nas miosa mar as lugha a tha iad a' dèanamh de Ghàidhlig anns an sgoil. [...] m.e. tha mise a' smaoineachadh gu bheil sgoilear a tha a' faighinn trì cuspairean gu tur tro mheadhan na Gàidhlig, [...] cha chreid mi gu bheil iadsan cho

dualtach a bhith a' gearan ri cuideigin a th' air a thighinn a-steach, is a
tha fèir a' faighinn Gàidhlig, is a tha a' faighinn às le bhith a' dèanamh a
h-uile càil eile ann am Beurla. (NT-11-AS)

Thuirt aon tidsear beagan mu cho feumail is a bhiodh e don chloinn nan robh
ceanglaichean a bharrachd aca ris a' Ghàidhlig air taobh a-muigh na sgoile, aig
ìre chultarach gu h-àraidh. Ge-tà, chuir i cuideam air a' phuing gum biodh e
doirbh obrachadh a-mach cho mòr is a bhiodh an diofar ann an seasamhan agus
pàtrain cleachdaidh cànanach na cloinne nan ionnsaicheadh iad barrachd mu
chultar na Gàidhlig, ged a dh'fhairich i fhèin gum b' e pàirt fìor chudromach
den ionnsachadh aca a bh' ann. Bhruidhinn i mu dhreuchd a' cho-theagsa anns
am biodh a' chlann agus gun robh, na h-eòlas-se, sgoilearan na bu deònaiche
a' Ghàidhlig a bhruidhinn, fiù 's am measg a chèile, far an robh iad air an toirt
a-mach à àrainneachd na sgoile gu co-theagsa cultarach a bha dlùth-cheangailte
ris a' chànain. Lean a beachd don cheist am biodh sgoilearan AS na bu deònaiche
a' Ghàidhlig a bhruidhinn ri chèile agus sa chlas, ris na tidsearan, nan robh
iad ann an sgoil far am biodh a h-uile càil air a theagasg tron Ghàidhlig agus
barrachd luach ga cur air a' Ghàidhlig san sgoil air fad, prionnsabal coltach
ri FMG aig ìre na bun-sgoile. 'S e modail fìor chumanta agus soirbheachail
a th' ann ann an dùthchannan eile mar-thà, mar eisimpleir ann an Èirinn, sa
Chuimrigh, ann an Dùthaich nam Basgach agus Canada, far a bheil foghlam
tro mheadhan na mion-chànain a' cumail a' dol ann an àrd-sgoiltean a tha
gu tur nan àrainneachdan Gàidhlig, Cuimris, Basgais no Fraingis.[29] Bha an
neach-teagaisg sin dòchasach gu ìre gun obraicheadh modail mar sin ann an
àrd-sgoiltean Albannach cuideachd, oir, nam biodh barrachd chuspairean aca
tron Ghàidhlig is iad ag ionnsachadh barrachd mu dheidhinn na Gàidhlig
ann an co-theagsa làn-Ghàidhlig, bhiodh a' chànain air a nàdarrachadh san
àrainneachd sin. Le sin, bhiodh teans na b' fheàrr ann gun togadh a' chlann
seasamhan taiceil don Ghàidhlig is gun cleachdadh iad fhèin i na bu trice.

Thog aon neach-teagaisg am beachd gum biodh cuid den chloinn na bu
mhothachaile air am faireachdainnean a thaobh na Gàidhlig nuair a gheibheadh
iad beagan astair bhon àrainneachd àbhaistich aca. Dh'aithris an neach-teagaisg
gum biodh a' chlann aig amannan na bu mhoiteile às an sgilean Gàidhlig nan
robh iad air taobh a-muigh na sgoile, no air taobh a-muigh na h-àrainneachd
aca fhèin, oir thuigeadh iad an uair sin gum b' i a' Ghàidhlig buadh shònraichte
a bh' acasan nach robh aig a h-uile duine eile.[30] Tha coltas ann gun coimhead

---

29 Faic, mar eisimpleir, Coupland et al. 2005, Skutnabb-Kangas 2002, Cummins 2000, Ó
Fathaigh 1991.
30 Cf. J. Edwards 2009.

cuid den chloinn air a' Ghàidhlig mar phàirt den fhèin-aithne aca fhèin dìreach nuair a chì iad daoine aig nach eil i idir, mar choimeas.

Mu dheireadh thall, chaidh iomradh a dhèanamh air a' bhuaidh a dh'fhaodadh a bhith aig beachdan air a' Ghàidhlig bho muigh air seasamhan na cloinne:

[B]idh clann a' togail rudan bho inbhich. Air taobh a-muigh na sgoile, mar a tha fios againn, chan eil a h-uile duine dèidheil air a' Ghàidhlig no taiceil don Ghàidhlig, no chan eil iad a' cur luach oirre. *So* bhiodh clann a' togail sin [...]. (NT-13-AS)

'S e puing chudromach a tha seo, ceangailte ri seasamhan na cloinne, oir, a rèir cho misneachail is a bhios iad aig an aois sin, bidh e duilich dhaibh gun a bhith a' gabhail ri beachdan timcheall orra.[31] Dh'fhaodadh sin am fàgail mì-chinnteach mun Ghàidhlig agus mu FMG agus, aig a' char a bu mhiosa, dh'fhaodadh seasamhan tòiseachadh annta fhèin nach robh taiceil don Ghàidhlig tuilleadh.

Pàrantan AS (air seasamhan na cloinne)

Nuair a bhruidhinn mi ri pàrantan mu na h-aon cheistean, thuirt ceathrar nach biodh a' chlann aca a' gearan mun Ghàidhlig, a chionn 's gun robh e gnàthach dhaibh a bruidhinn is gun robh iad buileach cleachdte rithe.

Cha bhi gearan aig a' chlann a-muigh 's a-mach, air a' Ghàidhlig, chan eil iad a' gearan .. mu Ghàidhlig a bhith aca ann an dòigh sam bith. Tha iad a' gabhail ris a' chànan mar rud a bhuineas dhaibh gu math nàdarra [...]. (P-24-AS)

A rèir nam pàrant seo, ghabhadh an cuid cloinne ris a' Ghàidhlig mar chànain na dachaigh no co-dhiù cànain na sgoile agus, mar sin, bhiodh iad cleachdte rithe.

Thog aon phàrant an gearan nach robh gu leòr chothroman aig a' chloinn gus cumail a' dol leis a' Ghàidhlig ann an diofar chuspairean aig ìre na h-àrd-sgoile, agus gun adhbharaicheadh an dìth fios a-steach sin ìrean na b' ìsle de mhisneachd anns a' Ghàidhlig. Bhiodh buaidh aig an t-suidheachadh sin air seasamhan na cloinne, leis gun robh teans ann gum fairicheadh iad nach robh

31 Sgrìobh Kenneth MacKinnon pàipearan fìor inntinneach air dòighean mì-fhreagarrach anns an tèid dèiligeadh ris a' Ghàidhlig sna meadhanan aig amannan, mar eisimpleir, tro litrichean dhaoine do phàipearan-naidheachd, a' càineadh na cànain agus iomairt an ath-bheothachaidh san fharsaingeachd (mar eisimplier, MacKinnon 2011). Thug e sùil shònraichte air an t-seòrsa briathrachais a thèid a chleachdadh annta agus, cuideachd, air mar a thèid beachdan a chur air adhart mar an 'fhìrinn', ged nach eil annta ach breugan no criomagan de dh'fhiosrachadh air an tionndadh agus air an toirt a-mach à co-theagsa.

a' Ghàidhlig 'math gu leòr' mar mheadhan teagaisg aig ìrean àrda ann am foghlam, is gun cailleadh iad spèis ma coinneimh.

A rèir phàrant eile, ghabhadh an clann ri FMG ceart gu leòr, ach choimheadadh iad air a' Ghàidhlig sa chiad àite mar chuspair na sgoile, gun a bhith a' sealltainn ceangal na bu doimhne rithe.

> Cha bhi i a' gearan, ach ... tha i a' faicinn Gàidhlig mar ... cuspair a
> bhuin, a bhuineadh dhan sgoil, agus sin e. 'S e, 's e sin a th' ann, chan
> eil i, chan eil mi a' smaointinn gu bheil .. ùidh mhòr aice, sa chànan
> fhèin no, uill, tha fios againn gu, còmhla ri a h-uile duine eile, tha i a'
> bruidhinn Beurla ris, ris a' chloinn eile, agus ris a, ris a caraidean [...].
> (P-28-AS)

San eisimpleir seo, chithear nach robh am pàrant an dùil gum fairicheadh a pàiste glè làidir mun Ghàidhlig aig ìre phearsanta, ged a ghabh i rithe gun dragh mar chànain na sgoile, airson cuid de na cuspairean. Chùm aon phàrant a-mach fiù 's gun robh a' chlann air an cùl a chur ris a' Ghàidhlig nam beatha phrìobhaideach, a chionn 's gun do choimhead iad oirre mar chànain fhoirmeil a-mhàin, a bha a' buntainn ris an sgoil, fhad 's a ghabhadh a' Bheurla thairis mar chànain nan comhaoisean (san sgoil agus aig an taigh).

Rinn pàrant eile iomradh air suidheachadh anns an robh i air a bhith bho chionn greis, nuair a nochd alt ann am pàipear-naidheachd a chuir sìos air a' Ghàidhlig agus a mhol a bhith a' leigeil dhi bàsachadh. Dh'aithris am pàrant gun robh a clann (agus na caraidean aca) fiadhaich nuair a leugh iad sin. Cha robh i an dùil gun robh iad air cus a chluinntinn mu bheachdan an aghaidh na Gàidhlig coltach ri sin, agus nuair a chunnaic iad an t-alt, thàinig e am bàrr gun robh faireachdainnean gu math làidir agus pearsanta aca ceangailte ris a' Ghàidhlig.

Thog dithis phàrant am beachd gur math dh'fhaodte gun cuidicheadh barrachd chuspairean cultarach agus poileataigeach anns a' Ghàidhlig a' chlann gus fèin-aithne Ghàidhlig a thogail agus a bhith nas moiteile aiste. Aig an aon àm, cha robh iad cinnteach idir am biodh ùidh aig a' chloinn ann an cuspairean de leithid agus chuir aon tè cuideam air a' phuing gur dòcha nach robh e cuideachail barrachd aire a thoirt air a bhith a' mìneachadh na Gàidhlig is a suidheachadh don chloinn, oir, na beachd-se, chruthaicheadh sin sgaradh na bu mhotha eadar a' Ghàidhlig agus a' Bheurla, ach cuideachd eadar a' Ghàidhlig agus an saoghal nàdarrach:

> [A]n cànan a tha iad a' bruidhinn, cha bu chòir dhaibh a bhith ga
> cnuasachadh ann an dòigh sam bith, nas motha is nach eil aca ri Beurla
> a mhìneachadh dhaibh fhèin. [...] Is ann an dòigh, a h-uile mionaid
> a tha thu a' cur seachad a' mìneachadh Gàidhlig dhan chloinn, no a'

mìneachadh gu bheil Gàidhlig eadar-dhealaichte bhon Bheurla no a'
toirt orra a bhith ga bruidhinn [...], tha [...] thu fhèin, ann an dòigh, a'
cur clach air, air càrn, air a' chàrn a tha sin, a' dèanamh sgaradh eadar
a' Ghàidhlig agus an saoghal nàdarra. Chan eil thu a' mìneachadh no a'
cnuasachadh Beurla uair sam bith. Is tha a' chlann a' gabhail ris mar rud
nàdarra. Tha a h-uile duine a' cur às an corp mun a' Ghàidhlig is tha a'
chlann a' togail sin cuideachd. (P-24-AS)

'S e a' cheist a dh'èireas an uair sin, ge-tà, dè thachradh don chànain nan
robhar ga fàgail anns an staid sa bheil i agus sna raointean-cleachdaidh a tha
'nàdarrach' dhi an-diugh. Cha bhiodh mòran air fhàgail dhi, tha coltas ann, air
sgàth 's nach eil raointean cànanach air fhàgail anns am feum duine a' Ghàidhlig
a chleachdadh. San latha an-diugh, leis a' Bheurla aig gach neach a bhruidhneas
a' Ghàidhlig, chan fhaighear suidheachaidhean far am bi a' Ghàidhlig riatanach
tuilleadh, ach 's math dh'fhaodte bho thaobh chleachdaidhean cànain, air
taobh a-staigh theaghlaichean far an deach a' Ghàidhlig a stèidheachadh bhon
toiseach mar chànain an teaghlaich, a dh'aindeoin 's gun robh a h-uile neach
dà-chànanach. Ach fiù 's ann an raointean-cleachdaidh prìobhaideach mar sin,
cha toireadh e fada gus am biodh a' chlann a' tuigsinn gu bheil a' Bheurla
aig a h-uile duine cuideachd agus, gu tric, tòisichidh an òigridh fhèin an uair
sin air pàtran cleachdaidh san dachaigh atharrachadh. A' tilleadh don cheist,
tha e fìor gun tèid sgaradh a dhèanamh eadar a' Ghàidhlig agus a' chànain a
chleachdas a' chlann nas nàdarraiche a' mhòr-chuid den ùine – a' Bheurla – ach,
mura tèid oidhirp a dhèanamh gus eachdraidh is suidheachadh na Gàidhlig a
mhìneachadh don chloinn, a' feuchainn gum faic iad taobh ideòlach na cùise
a bheireadh adhbhar a bharrachd dhaibh cumail rithe is a bruidhinn, cha bhi
mòran adhbharan aca a' Ghàidhlig a chleachdadh idir. Far a bheil a' chànain
san dachaigh, chumadh iad a' dol an sin, 's math dh'fhaodte, co-dhiù airson
greis, ach dè mu dheidhinn cloinne gun fhacal Gàidhlig san dachaigh? Nam
bitheamaid a' dol leis na bha 'nàdarrach' agus 'mì-nàdarrach' a-mhàin, bhiodh
e na shuidheachadh 'mì-nàdarrach' dhaibhsan sa chiad dol-a-mach a bhith ag
ionnsachadh tro chànain ùr nach bruidhneadh iad gu gnàthach an àite sam
bith.[32] Mar sin, thathar an dùil gu bheil e ro anmoch airson a' Ghàidhlig a
bhith air a fàgail ann an raointean-cleachdaidh is suidheachaidhean 'nàdarrach'
a-mhàin, oir chan eil gu leòr dhiubh air fhàgail dhi. Gun bhrosnachadh no
mìneachadh a bharrachd, bhiodh e glè choltach gun cleachdadh a' mhòr-chuid
de sgoilearan a' Bheurla fad an t-siubhail. Ach airson a' chlann a bhrosnachadh
tro thuigse chultarach is eachdraidheil, gus am faic iad adhbharan ciallach
airson a cleachdadh is a cumail a' dol, feumaidh beagan tuigse ideòlaich a bhith

32 Cf. Baker 2011, Thomas is Roberts 2011.

aca air suidheachadh na Gàidhlig agus air an dreuchd a dh'fhaodadh a bhith aca fhèin ann an ath-bheothachadh na cànain.

Chuala mi bho thriùir phàrant gum biodh an cuid cloinne a' gearan mun Ghàidhlig aig amannan, agus gum biodh sin gu tric ceangailte ri ìomhaigh na Gàidhlig am measg nan sgoilearan fhèin. Gu h-àraidh aig ìre na h-àrd-sgoile, cha robh coltas ann gun cleachdadh sgoilearan a' Ghàidhlig am measg a chèile, a chionn 's nach biodh e a' faireachdainn *cool* dhaibh:

> [T]ha iad a' faireachdainn gu bheil, nach eil, nach eil e ro *chool*, mar gum bitheadh, a bhith a' bruidhinn Gàidhlig, ach aig, tha mi a' smaoineachadh anns a' bhun-sgoil, chan eil sin buileach cho dona, ach nuair a thig iad dhan àrd-sgoil, tha sin a' fàs gu math nas miosa [...]. (P-29-AS)

FAIREACHDAINNEAN NAN SGOILEARAN (BS) MU CHOINNEIMH FMG AGUS MUN GHÀIDHLIG SAN ÀM RI TEACHD

Bha mi airson faicinn ciamar a bha a' chlann a' faireachdainn mu dheidhinn FMG agus mu bhith mar phàirt den t-siostam foghlaim sin. Dh'fhaighnich mi dhaibh an toiseach cò bha air FMG a thaghadh dhaibh sa chiad dol-a-mach – am b' iad fhèin a bh' ann, no am pàrantan?

An uair sin, dh'fheuch mi ri faighinn a-mach an do chòrd e riutha san sgoil aca, carson a bha sin (no carson nach do chòrd e riutha) agus dè bha sònraichte math no dona ma deidhinn. Dh'obraich mi a-mach an sin dè na puingean/faireachdainnean a dh'ainmich a' chlann a bha ceangailte ris a' Ghàidhlig is dè an fheadhainn a bha a' buntainn ris an sgoil no ri cuspair air choreigin a-mhàin.

Nuair a bhruidhinn mi ri clann na bun-sgoile air cò bha air FMG a thaghadh dhaibh, thuirt 13 sgoilearan gum b' i a' Ghàidhlig a' chiad chànain aca agus, mar sin, gum b' e co-dhùnadh nàdarrach a bh' ann, air a dhèanamh leis an teaghlach, FMG a thaghadh. Dh'aithris cuid nam measg gum b' e co-dhùnadh nam pàrant a bh' ann, ach nach do cheasnaich iad sin, air sgàth 's gun do dh'fhairich iad fhèin gun robh e nàdarrach:

> *Carson a dh'ionnsaich thu fhèin a' Ghàidhlig?*
> .. 'S e air sàillibh gun e Gàidhlig aig uileag an teaghlach. Chuir iad mi dhan Ghàidhlig. (Sg-18-BS)

> *Carson a dh'ionnsaich thu fhèin a' Ghàidhlig?*
> Uill, bha ... 's e cànan math a bh' ann, agus bha Mamaidh a' smaoineachadh gun robh an teaghlach againn a' dèanamh e, *so* feumaidh sinn .. man a' dèanamh e a-rithist agus a-rithist anns an teaghlach againn, *so*... (Sg-31-BS)

Thàinig a' mhòr-chuid de na sgoilearan sa bhuidhinn sin (11) à coimhearsnachdan far an robh a' Ghàidhlig fhathast ga bruidhinn gu làitheil.

Chuala mi bho cheathrar sgoilearan gun robh iad fhèin air taghadh a bhith ag ionnsachadh na Gàidhlig agus a dhol tro FMG, air sgàth 's gun robh iad air a' chànain a chluinntinn san teaghlach no sa choimhearsnachd air neo a chionn 's gun robh dìreach ùidh aca innte:

Carson a dh'ionnsaich thu fhèin a' Ghàidhlig?
.. Cha robh *really* fios agam dè bh' ann nuair a chaidh mi dhan sgoil an toiseach, 's bha mi ag iarraidh faighinn a-mach, chaidh mi dhan Ghàidhlig. (Sg-28-BS)

... Uill, dh'fhaighnich .. an granaidh, am mamaidh agam, a bheil thu ag iarraidh dol dhan Gàidhlig clas no clas Beurla? Agus thuirt mise clas Gàidhlig, a chionn 's as toil leam Gàidhlig gu mòr agus 's toil leam a chluinntinn e. Agus bha mi ag iarraidh bruidhinn e cuideachd. (Sg-8-BS)

Thàinig a h-uile pàiste sa bhuidhinn seo à aon de na h-eileanan, .i. à àiteachan far an cluinneadh iad a' Ghàidhlig timcheall orra gu tric.

Dh'aithris 11 sgoilear eile gum b' e co-dhùnadh nam pàrant a bh' ann gun deach iad tro FMG, ach gun robh iad fhèin toilichte le sin a-nis, ged nach robh a h-uile duine aca air a bhith cinnteach nuair a thòisich iad:

A' chiad latha, cha robh mi cho cinnteach an robh mi ag iarraidh dol dhan sgoil seo, airson bha a h-uile càil ann, bha mi a' smaoineachadh, gun robh a h-uile càil '*Squiggly lines*'. Tha mi smaoineachadh, nuair a bha iad a' dèanamh sgrìobhadh, mar 'Diardaoin', mar sin, bha mi a' smaoineachadh gur e 'Diardaoin' *squiggly line*! Agus cha robh mi ag iarraidh a bhith a' sgrìobhadh ann an *squiggly lines*.
(gàire) *Ach tha e a' còrdadh riut a-nis?*
Tha. (Sg-5-BS)

Cha robh sin *really* an *choice* agam, 's e an *choice* aig am màthair agam a bh' ann. Is an athair.
Agus a bheil thu toilichte leis an sin?
Yeah, tha. (Sg-2-BS)

Mu dheireadh thall, mhìnich aon phàiste gun robh a h-athair air am beachd a chur na h-aire a bhith ag ionnsachadh tron Ghàidhlig, is gun do smaoinich i an uair sin ma dheidhinn gus an do dh'aontaich i ri dhèanamh (Sg-20-BS).

Cha tuirt duine sam bith am measg sgoilearan BS nach robh iad dòigheil a bhith ann am FMG, às bith cò bha air an suidheachadh ionnsachaidh sin a thaghadh dhaibh sa chiad dol-a-mach.

San ath cheum, chruinnich mi faireachdainnean na cloinne ceangailte ri FMG no ris na sgoiltean aca gus faighinn a-mach an robh iad toilichte a' mhòr-chuid ionnsachadh tron Ghàidhlig air neo an do chuir an suidheachadh sin dragh orra ann an dòigh sam bith. Air sgàth 's gun robh na freagairtean stèidhichte air faireachdainnean mun sgoil agus mun t-suidheachadh ionnsachaidh san fharsaingeachd, bha e duilich aig amannan sgaradh a dhèanamh eadar faireachdainnean stèidhichte air FMG agus feadhainn eu-cànanach a bha ceangailte ris an sgoil mar àrainneachd ionnsachaidh gu farsaing. Mar eisimpleir, thuirt buidheann bheag de dhiofar sgoilearan nach do chòrd e riutha a dhol don sgoil aca, ach, nuair a dh'fhaighnich mi dhaibh carson a bha sin, mhìnich iad nach robh gu leòr chothroman is ghoireasan spòrs/eacarsaich aca aig na sgoiltean aca, agus gum b' e sin an t-adhbhar nach robh iad cho dòigheil a dhol don sgoil. Cha robh na faireachdainnean sin ceangailte ris a' Ghàidhlig a-rèist.

Thuirt triùir sgoilear nach robh iad toilichte a dhol don sgoil aca, ach a rèir am freagairtean, cha robh na faireachdainnean sin ceangailte ris a' Ghàidhlig na bu mhotha.

> *A bheil e a' còrdadh riut a bhith a' dol dhan sgoil agad?*
> Chan eil. Cha toil leam sgoil co-dhiù.
> *[…] Dè nach toil leat ma deidhinn?*
> Uaireannan, cha toil leam na cuspairean a tha sinn a' dèanamh ann, uaireannan, ach … tha e ceart gu leòr uaireannan eile, ach … tha e dìreach beagan dòrainneach. (Sg-40-BS)

Chuir a' chuid a bu mhotha de na sgoilearan an cèill, ge-tà, gun robh iad dòigheil gu leòr a dhol do na sgoiltean aca. Chuir dithis sgoilear cuideam air cuspairean no pìosan-obrach sònraichte a bhiodh a' còrdadh riutha, a' Ghàidhlig agus cànainean eile nam measg, agus, gu h-inntinneach, chuala mi bho cheathrar sgoilear eile gur ann air sgàth na Gàidhlig a chòrd e riutha a dhol don sgoil aca. A rèir choltais, bha ùidh aca gu sònraichte ann an Gàidhlig air neo, mar a mhìnich aonan, chòrd e riutha dìreach a bhith ag ionnsachadh cànain a bharrachd.

A thuilleadh air faireachdainnean mu FMG agus mun Ghàidhlig aig an àm sin fhèin, bha mi cuideachd airson barrachd fhaighinn a-mach air dè an seòrsa dreuchd a bha a' chlann a' faicinn airson na Gàidhlig nam beatha san àm ri teachd, aig ìre phearsanta no ìre an teaghlaich. Dh'fhaighnich mi dhaibh, nam biodh teaghlach aca fhèin san àm ri teachd, an robh iad an dùil a' Ghàidhlig a chur air adhart don chloinn aca fhèin cuideachd. Cha do bhruidhinn mi riutha air a' phuing sin gu fìor mhionaideach, oir bha mi cinnteach gun robh iad ro òg airson beachdan no planaichean mionaideach a bhith aca air a' chuspair; ach bha na còmhraidhean sin glè inntinneach gus deargadh fhaighinn air a' cheist sin.

Thuirt faisg air trì cairteil den chloinn (29) gum biodh iad airson a' Ghàidhlig

a chur air adhart don chloinn aca fhèin, san àm ri teachd. Nam measg, bha
~ nach do fhreagair barrachd na 'bhitheadh' no 'chuireadh', ach chunnacas

> *[A]m biodh tu airson Gàidhlig a thoirt air adhart dhan chlann agadsa*
> *cuideachd?*
> Bhidh! 'S dòcha, uill, bhidh mi ... a' cur iad gun sgoil seo. Ma tha e
> fhathast a' teagasg Gàidhlig, agus bhidh mise a' bruidhinn Gàidhlig gu
> iadsan. (Sg-12-BS)

> Ciad cànan aca, 's e Gàidhlig a bhiodh ann! (Sg-27-BS)

Chaidh faighneachd do na sgoilearan an uair sin carson a bhiodh iad airson
a' Ghàidhlig a chumail a' dol san teaghlach is airson a cur air adhart don ath
ghinealach. Mhìnich dithis sgoilear gun do chòrd e riutha gu mòr a bhith ag
ionnsachadh tron Ghàidhlig agus, air sàillibh sin, bhiodh iad airson an aon
chothrom a thoirt don chloinn aca fhèin. Chuir aon de na sgoilearan seo
cuideam air a' phuing nach biodh i airson toirt air a' chloinn aice Gàidhlig
a dhèanamh mura robh iad ga iarraidh. Bha e cudromach dhi gum biodh
taghadh aca fhèin:

> Chuireadh mise anns a' Ghàidhlig iad, airson 's caomh leamsa a bhith ann
> an Gàidhlig, *so*, tha mi ag iarraidh iadsan ag ionnsachadh Gàidhlig airson
> cha bhi e *really fair* mar, dh'ionnsaich mise agus cha do dh'ionnsaich
> iadsan. Ach ma chan eil e ag iarraidh a' dol chan eil mi *really force*adh
> iad. (Sg-35-BS)

Bha seasamh taiceil aig an dithis sin mu choinneimh na Gàidhlig agus stèidhich
iad na beachdan mun àm ri teachd air an fhios-fhaireachdainn aca fhèin sa
Ghàidhlig.

Thuirt còignear sgoilearan nach robh iad cinnteach dè na cànainean
a bheireadh iad don chloinn aca san àm ri teachd. Bhiodh an co-dhùnadh
an crochadh air suidheachadh na Gàidhlig an uair sin, air cothroman eile a
dh'fhaodadh a bhith ann do chlann agus, cuideachd, air an dùthaich no an sgìre
far am biodh iad a' fuireach.

> *[A]m biodh tu airson a' Ghàidhlig a chur air adhart dhan chlann agadsa*
> *cuideachd?*
> .. Tha mi a' smaoineachadh bitheadh, ach ma bhitheadh sinn mar a'
> fuireach ann an *remote place*, mar ... *Cuba* no rudeigin, cha bhiodh iad
> *really* a' smaoineachadh, uill, *'We're not really in the right place to learn*
> *this language, so we could actually learn some Spanish or something'*. *So* ma
> bhiodh mi a' fuireach ann a sheo, *definitely* bidh mi a' canail *'Right, you're*

going to the Gaelic school' ma bhiodh e fhathast ann, ach .. *yeah*, bidh mi a' canail dhan chlann, '*Yeah, you've got to learn Gaelic*'. (Sg-33-BS)

Uill, chan eil e, chan eil mi *really* cinnteach, .. ma bha na àireamhan de daoine a' bruidhinn Gàidhlig a' dol suas, bhiodh mi, ach ma bha e a' dol sìos, bhiodh mi a' *focus*adh air sgilean Beurla, no can *Mandarin* no rudanach, ... oir, .. bhiodh mi a' *focus*adh air ... cànanan a tha a' fàs agus tha tòrr daoin–, agus tha mar, *yeah*, agus tha tuilleadh daoine a' tòiseachadh a' bruidhinn iad [...]. (Sg-3-BS)

Bha na freagairtean às a' bhuidhinn mu dheireadh gu math fìorachail agus pragtaigeach, agus sheall iad gun robh a' chlann air smaoineachadh mun a' cheist sin mar-thà, air neo gun robh cuideigin eile air bruidhinn riutha ma deidhinn.

FAIREACHDAINNEAN NAN SGOILEARAN (AS) MU CHOINNEIMH FMG AGUS MUN GHÀIDHLIG SAN ÀM RI TEACHD

San aon dòigh a lean mi le sgoilearan aig ìre na bun-sgoile, dh'fhaighnich mi do sgoilearan AS an dà chuid cò bha air FMG a thaghadh dhaibh sa chiad dol-a-mach agus ciamar a bha iad fhèin a' faireachdainn sna sgoiltean aca is san t-suidheachadh ionnsachaidh anns an robh iad.

Thuirt deichnear gun robh a' Ghàidhlig air a bhith na ciad chànain dhaibh co-dhiù air neo dlùth-cheangailte ris an teaghlach, is gur ann air sgàth sin a thagh an teaghlaichean FMG dhaibh.

Bha mi a' cur anns an sgoil anns a' .. chiad bliadhna ann am *primary school* anns a' Ghàidhlig, clas Gàidhlig. Agus tha mi a' smaointinn gun robh na pàrantan agam airson mi a' bruidhinn Gàidhlig. Airson bha Gàidhlig aca, agus bha Gàidhlig aig na pàrantan aca. (Sg-80-AS)

Carson a dh'ionnsaich thu fhèin a' Ghàidhlig?
Airson bha Mamaidh agus Dadaidh agam ag iarraidh .. mi ga bhruidhinn. Dìreach mar a tha iadsan agus an teaghlach agam, airson tha a h-uile duine anns an teaghlach agam ga bhruidhinn, airson tha iad uile bho na eileanan. (Sg-59-AS)

Dh'aithris ceathrar sgoilear gun robh iad fhèin ag iarraidh FMG agus gun deach am pàrantan leis a' cho-dhùnadh sin:

Bha mi dìreach ann an clas a h-aon, agus bha mi ag iarraidh dèanamh rudan, agus bha mi dìreach ... 'Tha mise ag iarraidh a' dol dhan Ghàidhlig.'
So 's e an co-dhùnadh agadsa a bh' ann?
Yeah, bha, *actually*. (Sg-44-AS)

A rèir 15 cloinne, b' iad an cuid phàrant a bha air tighinn gu co-dhùnadh gum biodh a' chlann a' dol tro FMG, ach, aig an aon àm, thuirt na sgoilearan sin gun robh iad toilichte a bhith ann am FMG.

Carson a dh'ionnsaich thu fhèin a' Ghàidhlig?
.. Uill, airson bha mi ann an Gàidhlig *medium really,* .. cha robh mi .. air an, cha robh mar .. can agamsa [.i. 'I didn't have a say in it'], mar an do, air .. bha mi sa Ghàidhlig *medium* no Beurla, ach tha mi uabhasach toilichte gun do chuir mo mhàthair mi anns a' Ghàidhlig. (Sg-56-AS)

Mhìnich triùir sgoilear gum b' e taghadh am pàrantan a bh' ann am FMG agus nach robh iad fhèin buileach cinnteach ma dheidhinn. Cha robh coltas ann gun robh iad an aghaidh na cànain, ach cha robh ùidh aca innte na bu mhotha agus cha do dh'fhairich iad càil sònraichte mu dheidhinn Gàidhlig a bhith aca.

Carson a dh'ionnsaich thu fhèin a' Ghàidhlig?
Uill, chan eil fios agam *really.* Cha do chuala mi mu dheidhinn Gàidhlig nuair a chaidh mi, nuair a thàinig mi suas gu [ainm-àite], nuair a bha mi beag. Ach chuir mo mhàthair a-staigh gu [ainm sgoile] mi, agus bha feum agamsa ag ionnsachadh Gàidhlig, oir bha iad a' bruidhinn Gàidhlig, ann an [ainm-àite]. Is tha mi a' smaoineachadh gu bheil sin *really* an adhbhar a tha mi a' bruidhinn tòrr Gàidhlig. (Sg-61-AS)

A thaobh fhaireachdainnean mu choinneimh FMG agus nan sgoiltean fa leth, bha coltas am measg sgoilearan AS cuideachd gun robh a' chuid a bu mhotha aca dòigheil a dhol (no a bhith air a dhol) tro FMG agus leis na sgoiltean aca fa leth. Chuir dithis an cèill gun robh iad fìor thoilichte a bhith san àrd-sgoil, air sàillibh is gun robh farsaingeachd na bu mhotha de chuspairean ann. Thog sgoilear eile an gearan, ge-tà, nach robh gu leòr chuspairean gan tathann tro mheadhan na Gàidhlig san sgoil aice. Bha an tè sin an dùil a bhith na tidsear Gàidhlig i fhèin san àm ri teachd agus thuig i gun dèanadh e feum dhi barrachd chuspairean ionnsachadh troimhpe.

Am measg adhbharan eile, mhìnich deichnear sgoilear gun robh e cudromach dhaibh gum faigheadh iad an cuid foghlaim tro mheadhan na Gàidhlig agus gum biodh iad a' togail cànain a bharrachd air an dòigh sin. B' e sin na h-adhbharan a chuir iad air adhart nuair a mhìnich iad carson a chòrd an sgoil aca riutha:

Tha cànan eile againn, nuair tha Gàidhlig againn agus tha dìreach Beurla aig na sgoilearan eile. *So* tha e mar *chance* ùr agam airson a' faighinn cànan eile airson a bruidhinn. (Sg-58-AS)

Tha e math a bhith mar, ... *talent* eile, a bhith a' bruidhinn ann an ..
Gàidhlig, agus ... *yeah*, tha e math. (Sg-70-AS)

Chualas bho dhithis sgoilear eile gun robh iad toilichte ann am FMG a chionn
's gun do chòrd e riutha rudeigin eadar-dhealaichte bho na sgoiltean mòra aon-
chànanach a dhèanamh. Chòrd a' Ghàidhlig riutha, agus bha iad dòigheil gum
b' urrainn dhaibh a bhith a' faireachdainn sònraichte, leis gun robh iad dà-
chànanach agus ag ionnsachadh a h-uile càil tro chànain nach robh na mòr-
chànain agus, mar sin, às an àbhaist.

Dh'fhaighnich mi do na sgoilearan an robh iad an dùil gun cumadh iad a'
Ghàidhlig san teaghlach aca fhèin san àm ri teachd, nuair a bhiodh iadsan nam
pàrantan. Thuirt còrr is an dàrna leth dhiubh gun cuireadh iad a' chànain air
adhart don chloinn aca fhèin, agus thuirt dìreach aon sgoilear gu fosgailte nach
robh i airson a dhèanamh. Cha robh na sgoilearan eile cinnteach.

Bheir sinn sùil a-nis air na h-adhbharan a dh'ainmich an fheadhainn a bha
airson a' Ghàidhlig a chumail a' dol. Cha do mhìnich a' mhòr-chuid de na
sgoilearan sin an taghadh aca gu mionaideach, agus cha do chuir mi ceistean
fìor dhomhainn air a' chùis, leis gun robh mi airson beachd farsaing fhaighinn
aig an ìre sa a-mhàin, mar a mhìnich mi san earrainn mun Ghàidhlig san àm ri
teachd aig ìre BS.

Thuirt aon sgoilear gun robh i airson a' Ghàidhlig a thoirt air adhart san
teaghlach aice fhèin air sgàth 's gun robh a' chànain 'cudromach is feumail' (Sg-
67-AS). Chuir tè eile an cèill gun do chòrd e rithe gu mòr a' Ghàidhlig a bhith
aice is gun robh i an dùil gun còrdadh sin ris a' chloinn aicese cuideachd. Mar
sin, bhiodh i airson a' chànain a chumail riutha:

[N]am biodh clann agad fhèin aon latha, am biodh tu airson a' Ghàidhlig
a chur air adhart thucasan cuideachd?
Bidh! *Aha*, oir tha ... is toil leamsa e is tha mi a' smaointinn gun toil
iadsan e. (Sg-44-AS)

Am measg na cloinne nach robh cinnteach an cumadh iad a' Ghàidhlig ris a'
chloinn aca fhèin, thuirt còignear gun robh an co-dhùnadh sin an crochadh
air suidheachadh na Gàidhlig aig an àm agus air cothroman cànanach eile a
dh'fhaodadh a bhith air nochdadh an uair sin.

Chan eil mi cinnteach, ach ... tha 's dòcha ann an deich bliadhna, cha bhi
daoine a' bruidhinn ach 's dòcha bi tòrr daoine a' bruidhinn. Agus bidh
rud man sin a thoirt dhomh *idea* mu dheidhinn a bhith no a bhios iad a'
bhruidhinn. (Sg-80-AS)

Yeah, ... bhiodh mi, uill, ... bhiodh mi, ach tha e mar *depend*adh càite a bheil mi a' fuireach. ... Ma bha mi a' fuireach ann, mar Glaschu, bhiodh mi a' feuchainn a' faighinn iad leatha, Lunnainn tha e dìreach, ... *yeah*, chan eil fhios agam. (Sg-57-AS)

Rinn an sgoilear san eisimpleir mu dheireadh iomradh air buaidh an àite-fuirich cuideachd, a' mìneachadh gum biodh taghaidhean cànanach de leithid an crochadh air an sgìre no fiù 's an dùthaich anns am biodh i fhèin is an teaghlach aice stèidhichte aig an àm.

CEANGLAICHEAN EADAR AM FIOS A-STEACH AGUS AM FIOS A-MACH (SEASAMHAN NA CLOINNE)

Às dèidh dhomh sùil a thoirt air seasamhan na cloinne mu choinneimh na Gàidhlig fhèin (a' chiad phàirt den chaibideil seo), cuiridh mi am fiosrachadh sin a-nis ri freagairtean a fhuair mi bhuapa air mar a bha a' Ghàidhlig ceangailte rim beatha phearsanta (mar eisimpleir ris an teaghlach, caraidean, an àrainneachd aca agus msaa). Bidh mi a' sgrùdadh fiosrachadh bhon dà chuspair airson cheanglaichean eatarra, feuch am bi pàtrain gan sealltainn eadar beachdan nan sgoilearan a thaobh na cànain agus na ceanglaichean pearsanta aca ris a' chànain.

Aig ìre na bun-sgoile, bha seachdnar sgoilear air cumail a-mach gun robh a' Ghàidhlig air leth cudromach nam beatha air sgàth 's gum b' i cànain ghnàthach an teaghlaich. Chaidh na h-aithrisean sin uile a dhaingneachadh tro fhreagairtean a dhèilig ris a' cheangal eadar a' Ghàidhlig agus am beatha phearsanta. Thuirt an dearbh sheachdnar an uair sin gun robh iad dlùth-cheangailte ris a' Ghàidhlig gu pearsanta, air sàillibh 's gum bruidhneadh a h-uile duine san teaghlach ri chèile i gu làitheil. Fhreagair toraidhean na ceist seo gu lèir air na bha mi an dùil ris.

Bha mi air cluinntinn bho thriùir sgoilear gun robh iad a' faireachdainn ceangailte ris a' Ghàidhlig a thaobh an cuid fèin-aithne, is gum b' e pàirt mhòr nam beatha a bh' innte. Nam measg, bha aon sgoilear à teaghlach far an robh a' Ghàidhlig ga cleachdadh gu làitheil, agus bha dithis ann le aon phàrant (agus 's math dh'fhaodte bràthair no piuthar) aig an robh a' Ghàidhlig agus, mar sin, chleachdadh iad rud beag aig an taigh i cuideachd. Chithear gun robh ceangal gu ìre air choreigin aig a' chloinn sin ris a' Ghàidhlig ann an raon-cleachdaidh eadar-dhealaichte bhon sgoil, agus tha coltas ann gun robh an suidheachadh sin taiceil do na seasamhan aca mu choinneimh na cànain.

Dh'aithris triùir sgoilear nach robh a' Ghàidhlig a' ciallachadh mòran dhaibh agus nach robh innte ach cànain: tha sin ri ràdh gun robh i na meadhan conaltraidh nach robh cudromach aig ìre phearsanta. Thàinig an triùir sgoilear sin à suidheachaidhean cànanach eadar-dhealaichte. Dh'ainmich aonan nàbaidhean agus daoine sa choimhearsnachd mar an aon cheangal a bhiodh aice ris a' Ghàidhlig air taobh a-muigh na sgoile, agus chuir tè eile an cèill gun robh a' Ghàidhlig aig aon phàrant is aig bràithrean no peathraichean. A rèir an treas sgoileir, bhiodh a' Ghàidhlig ga cleachdadh san dachaigh glè thric, ach, a dh'aindeoin sin, cha do dh'fhairich i càil sònraichte ma deidhinn.

> *[D]è tha a' Ghàidhlig a' ciallachadh dhutsa, gu pearsanta?*
> ... ... Chan eil e *really* a' ciallachadh càil. ... ... Chan eil e *really* a' ciallachadh càil.
> *A bheil thu a' smaointinn gum bi i feumail dhutsa?*
> .. .. Chan eil.
> [...]
> *A bheil i cudromach dhutsa idir?*
> Uill, tha e cudromach dhomh, ach ... chan eil, cha chaomh leam e.
> *Cha chaomh leat a bhith dè? Duilich?*
> Och, cha chaomh leam a bhith a' bruidhinn Gàidhlig. Uaireannan.
> (Sg-29-BS)

'S e suidheachadh inntinneach a chithear an seo, a thaobh mar a bhios clann a' gabhail sheallaidhean eadar-dhealaichte air an aon chùis, gun a bhith a' faireachdainn gu bheil sin co-àicheil.[33] Aig aon ìre, thuirt an sgoilear seo gun robh a' Ghàidhlig gu tur nàdarrach san teaghlach, ach nuair a bhruidhinn mi rithe na bu mhionaidiche mu dheidhinn chleachdaidhean cànain aig an taigh, fhuair mi a-mach, mar eisimpleir, gun cleachdadh i a' Bheurla a-mhàin ri a bràthair is ri a piuthar, agus gun do dh'ionnsaich iadsan a' Ghàidhlig san sgoil an àite aig an taigh. Bho na diofar aithrisean sin, tuigidh sinn nach robh a' Ghàidhlig ga cleachdadh mòran aig dachaigh an sgoileir seo, ged a b' e sin a' chiad deargadh a fhuair mi gun robh a' Ghàidhlig 'fìor nàdarrach' san teaghlach. Às dèidh sùil na bu ghèire a thoirt air suidheachadh an sgoileir seo, chan eil coltas cho co-àicheil air an dà aithris, .i. gun robh a' Ghàidhlig nàdarrach san dachaigh, ach nach do dh'fhairich am pàiste gun robh i cudromach dhi ann an dòigh sam bith, oir, ged a bha daoine san teaghlach a bha fileanta, thàinig e am bàrr nach cleachdadh an sgoilear fhèin mòran Gàidhlig san dachaigh idir.

Mu dheireadh thall, chunnacas sgoilear a bha a' faireachdainn gu làidir mun Ghàidhlig bho thaobh ideòlais agus a bha air tuigsinn gu ìre gum b' e mion-chànain a bh' innte a bha ann an cunnart. Thuirt am pàiste seo gun robh a' Ghàidhlig fìor ghnàthach na beatha air sgàth 's gun cleachdadh i fad an t-siubhail san dachaigh i. B' e luchd-ionnsachaidh gu math fileanta a bh' anns a h-uile duine na dachaigh. Tha coltas ann, far a bheil luchd-ionnsachaidh a

---

33 co-àicheil 'contradictory'.

tha cho làidir is gun tionndaidh iad poileasaidh cànain na dachaigh fhèin gu cànain ùr – agus mion-chànain – gum biodh iad air bruidhinn ris a' chloinn mu chuspairean a leithid suidheachadh na Gàidhlig agus a ceangail ri eachdraidh is cultar na h-Alba. Tha mi an dùil gun d' fhuair seasamhan an sgoileir sin am bunait bhon dachaigh.

Mar a chunnaic sinn sa chaibideil seo, far an robh faireachdainnean is seasamhan pearsanta gan sealltainn ceangailte ris a' Ghàidhlig, 's ann a bha iad glè thric stèidhichte air suidheachaidhean agus deargaidhean a fhuair na sgoilearan air taobh a-muigh na sgoile. Cha d' fhuair mi mòran fianais às na h-agallamhan air buaidh na sgoile air a' chùis, a bharrachd air buidheann bheag de sgoilearan a chuir an cèill gun robh iad measail air a' Ghàidhlig air sgàth 's gun robh iad air fàs iad cho cleachdte rithe a bhith na pàirt làitheil dem beatha san sgoil.

Aig ìre na h-àrd-sgoile, bha dithis sgoilear air cumail a-mach gun robh a' Ghàidhlig fìor chudromach dhaibh aig ìre phearsanta, leis gun robh i ceangailte ris an teaghlach aca. Do dh'aonan dhiubh, bha sin a' ciallachadh gun robh a' Ghàidhlig ga cleachdadh san dlùth-theaghlach fhathast (aon phàrant agus càirdean eile leis a' Ghàidhlig) agus gun robh i na pàirt ghnàthach de a beatha. Bha cùisean eadar-dhealaichte don dàrna sgoilear às a' bhuidhinn seo, ge-tà, a thàinig à dachaigh gun Ghàidhlig, a bharrachd air a piuthar agus i fhìn, a bha nan luchd-ionnsachaidh FMG. B' àbhaist do luchd-bruidhinn na Gàidhlig a bhith san teaghlach aice, ge-tà, ginealach no dhà air ais agus, a rèir choltais, bha faireachdainnean làidir fhathast aig a h-uile duine san teaghlach mun chànain. A rèir an sgoileir, bha e cudromach dhaibh a' Ghàidhlig a chumail san teaghlach, mar sheòrsa de dhìleab às an eachdraidh phearsanta aca.

Dh'aithris 14 sgoilearan gun robh a' Ghàidhlig cudromach gu leòr dhaibh, ach cha robh ceanglaichean sònraichte gan sealltainn air a' phuing seo. Thàinig a' chlann sa bhuidhinn sin à suidheachaidhean cànanach pearsanta glè eadar-dhealaichte.

Cha robh ceangal eadar cleachdaidhean cànanach ann am beatha phearsanta na cloinne agus an cuid sheasamhan ri fhaicinn na bu mhotha am measg na dithis a bha air a ràdh gun robh a' Ghàidhlig na pàirt chudromach den fhèin-aithne aca. 'S e an aon toradh a chì sinn ceangailte ris an ath cheist cuideachd: thuirt triùir cloinne nach robh a' Ghàidhlig glè chudromach dhaibh no gun robh iad coma ma deidhinn, agus thàinig an triùir aca à suidheachaidhean cànanach glè eadar-dhealaichte.

Dh'aithris sianar sgoilear gun do dh'fhairich iad na bu shònraichte air sgàth 's gun robh a' Ghàidhlig aca agus a chionn 's gun deach iad tro fhoghlam dà-chànanach. Nam measg, bha aon sgoilear à dachaigh làn-Ghàidhlig, sgoilear eile à teaghlach le aon phàrant aig an robh a' Ghàidhlig bho thùs, agus triùir cloinne le neach-ionnsachaidh san teaghlach (na màthraichean aca). Tha e coltach san eisimpleir seo gun robh a' chlann air cluinntinn bho inbhich cho cudromach is feumail 's a bha a' Ghàidhlig agus FMG dhaibh agus, leis na ceanglaichean pearsanta a bh' aig a h-uile duine sa bhuidhinn seo, tha deagh theans ann gum b' iad daoine às na teaghlaichean fhèin a bhrosnaich a' chlann is a thug na beachdan sin dhaibh. Bha cuideigin anns gach dachaigh le ùidh phearsanta no phoileataigeach sa chànain, agus chì sinn buaidh thaiceil aig na seasamhan sin ann am freagairtean na cloinne.

Nochd seachdnar sgoilear seasamhan taiceil don Ghàidhlig air sgàth nan cothroman a bharrachd a gheibheadh iad troimhpe (pròiseactan sgoile agus coimhearsnachd, obair san àm ri teachd). Thàinig iad uile à suidheachaidhean cànanach eadar-dhealaichte: chan eil e coltach gum bi faireachdainnean dreuchdail mun Ghàidhlig an-còmhnaidh ceangailte ris an t-suidheachadh anns an dachaigh a thaobh na Gàidhlig, .i. cò dhiubh a bhios a' chànain ceangailte ris an dachaigh no nach bi.

Bha seachdnar sgoilear air sealltainn gun robh beagan tuigse ideòlaich aca air suidheachadh na Gàidhlig agus gun do dh'fhairich iad gun robh i sònraichte do dh'Alba is gum b' fhiach a cumail beò. Bha cuid nam measg a' faireachdainn gu math làidir mu ath-bheothachadh na Gàidhlig agus mu bhith ga sgaoileadh barrachd ann an Alba. Thàinig a' mhòr-chuid de na sgoilearan sin (4) à dachaighean gun Ghàidhlig, ged a bha ceanglaichean na b' fhaide air ais aig cuid. Dh'fhaodadh sin ciallachadh gun d' fhuair iad na beachdan aca san sgoil no an àiteigin eile air taobh a-muigh na dachaigh. Chan urrainn dhuinn a bhith cinnteach, ge-tà, oir fiù 's mura robh Gàidhlig aig na pàrantan, dh'fhaodte gun do dh'fhairich iad gu làidir mun chànain is gun do bhruidhinn iad ris a' chloinn ma deidhinn. Taisbeinidh an eisimpleir seo gum b' urrainn do chlann faireachdainn làidir mun chànain is mun ath-bheothachadh, fiù 's mura h-eil i na pàirt dem beatha phrìobhaideach san dachaigh.

Chunnaic sinn nach robh mòran cheanglaichean gan sealltainn eadar seasamhan na cloinne mu choinneimh na Gàidhlig agus na ceanglaichean a bh' aca rithe gu pearsanta. A rèir choltais, togaidh cuid den chloinn beachdan taiceil agus làidir mun Ghàidhlig fiù 's far nach bi facal Gàidhlig ga bruidhinn nan dachaighean, agus tha deagh theans ann gun togadh iad rud beag de na seasamhan brosnachail sin san sgoil fhèin. Chithear gu bheil e comasach gun gabhadh a' chlann ri beachdan làidir ged nach biodh iad ceangailte ris na dachaighean aca, .i. gum faodadh sgoiltean a bhith glè shoirbheachail ann a bhith a' brosnachadh sgoilearan agus a' togail tuigse is bheachdan taiceil annta ceangailte ri dreuchd na cloinne fhèin ann an ath-bheothachadh na Gàidhlig.

CO-DHÙNAIDHEAN AIR SEASAMHAN NAN SGOILEARAN MU CHOINNEIMH NA
GÀIDHLIG AGUS FMG

Seasamhan mu choinneimh na Gàidhlig

Airson co-dhùnaidhean gu math farsaing a ruigsinn a thaobh seasamhan agus
fèin-aithne na cloinne ceangailte ris a' Ghàidhlig, chuir mi toraidhean às an dà
sheòrsa sgoile ri chèile. Chì sinn gu bheil beachdan farsaing na cloinne an ìre
mhath coltach ri chèile, ach gun do nochd beachdan eadar-dhealaichte aig a'
mhion-ìre.

Chuir a' mhòr-chuid de na sgoilearan BS agus AS an cèill gun robh a'
Ghàidhlig cudromach dhaibh gu ìre air choreigin, ach, am measg sgoilearan AS,
chaidh barrachd mhion-atharraichean[34] a chur ris a' bhuadhair 'chudromach', a'
lùghdachadh ìre a cuideim. Mhothaich mi gun robh seasamhan sgoilearan AS
beagan na bu laige san fharsaingeachd na seasamhan clann BS.

Chuala mi bho bhuidheann bheag à AS agus BS gun do thuig iad beagan
mu bhuannachd an dà-chànanais agus gun robh an suidheachadh ionnsachaidh
dà-chànanach gan dèanamh eadar-dhealaichte bho dhaoine eile, leis gun robh
dà chànain aca bho aois glè òg. Bha na freagairtean coltach ri chèile airson
AS is BS cuideachd am measg nan sgoilearan a bha mì-chinnteach mu cho
cudromach 's a bha a' Ghàidhlig nam beatha.

Cha do thaisbein ach aon sgoilear BS tuigse ideòlach agus phoileataigeach
mu shuidheachadh na Gàidhlig, ach bha mothachadh gu ìre aig seachdnar san
àrd-sgoil air a' chuspair sin, agus iad a' bruidhinn air moit às a' Ghàidhlig mar
phàirt den chultar aca agus air ath-bheothachadh na cànain.

Thàinig e am bàrr nach do chuir ach aon sgoilear BS luach air a' Ghàidhlig
air sgàth nan cothroman a bharrachd a gheibheadh i troimhpe, agus cha do
smaoinich an tè sin mu dheidhinn chothroman san àm ri teachd. Bha i dìreach
mothachail air pròiseactan a bharrachd a dhèanadh clann à FMG an taca ri
sgoilearan FMB.

Aig an aon àm, dh'ainmich seachdnar sgoilear san àrd-sgoil cothroman
obrach san àm ri teachd mar phàirt den adhbhar gun robh a' Ghàidhlig
cudromach dhaibh. Bha iad na bu mhothachaile air buannachdan a gheibheadh
iad tron Ghàidhlig, is bha sealladh fada na b' fharsainge aig an fheadhainn sin
na chunnacas aig ìre na bun-sgoile. Thathar an dùil gun robh an toradh sin
ceangailte ri aois na cloinne agus ri sgoilearan AS a' faighinn barrachd comhairle
a thaobh taghadh obrach às dèidh na sgoile na gheibh clann BS.

Dh'fhàs e soilleir gun dèilig clann aig ìre na bun-sgoile gu tric ris a' Ghàidhlig
agus ris an t-suidheachadh ionnsachaidh aca ann an dòigh làn faireachdainn

---

34 mion-atharraichean 'modifiers'.

seach stèidhichte air adhbharan reusanta, fhad 's a bha coltas ann gun robh mòran sgoilearan AS air barrachd astair a chur eadar iad fhèin agus a' Ghàidhlig, aig ìre fhaireachdainnean, is a' coimhead oirre ann an dòigh na bu dreuchdaile.

Dhaingnich còmhradh ri inbhich gun robh lagachadh ga shealltainn ann an seasamhan na cloinne a thaobh na Gàidhlig bhon bhun-sgoil don àrd-sgoil. Dh'aithris iomadh pàrant agus iomadh neach-teagaisg nach fhairicheadh cuid den chloinn (AS) cho fosgailte don Ghàidhlig is cho dòigheil rithe tuilleadh, air sgàth 's gum biodh ìomhaigh na Gàidhlig air an inbhe a bh' aice aig ìre na bun-sgoile a chall sa ghluasad eadar na sgoiltean.

Beachdan air FMG agus a' Ghàidhlig san àm ri teachd
Airson na cuid a bu mhotha de sgoilearan BS agus AS bha e fìor gum b' iad an cuid phàrant a thagh FMG don chloinn. A dh'aindeoin sin, bha a' mhòr-chuid dhiubh toilichte leis a' cho-dhùnadh sin agus chòrd e riutha a bhith ann am FMG. Chuala mi bho cheathrar sgoilear às gach buidhinn gum b' e fiù 's an taghadh aca fhèin a bh' ann FMG a dhèanamh.

Mhìnich a' chuid a bu mhotha den chloinn (BS agus AS) gun robh iad cofhurtail agus dòigheil anns an t-suidheachadh ionnsachaidh a bh' aca sna diofar sgoiltean no aonadan Gàidhlig, a dh'aindeoin dùbhlan an lùib togail cànain (mar eisimpleir duilgheadasan le briathrachas ùr) agus ionnsachaidh tro mhion-chànain.

Aig ìre na bun-sgoile, chuir faisg air trì cairteil de na sgoilearan an cèill gun robh iad airson a' Ghàidhlig a chur air adhart don chloinn aca fhèin san àm ri teachd. Nam measg, cha do mhìnich ach buidheann bheag na h-adhbharan a bh' aca airson sin, agus cha robh iad glè dhomhainn, a bharrachd air aon tè a bha mothachail air cuideam cultarach agus poileataigeach na Gàidhlig mar phàirt de dh'fhèin-aithne Albannach. Dh'ainmich còignear factaran mar àite-fuirich agus suidheachadh na Gàidhlig air an stèidhicheadh iad na co-dhùnaidhean aca.[35]

Aig ìre AS, thuirt còrr is an dàrna leth de na sgoilearan gum biodh iad airson a' Ghàidhlig a chur air adhart don chloinn aca fhèin, nuair a thigeadh an t-àm is nam biodh teaghlach aca. B' e na prìomh adhbharan a dh'ainmich iad airson sin gun robh a' Ghàidhlig feumail air neo gun robh iad dìreach measail oirre. 'S e àireamh gu math mòr a tha sin fhathast (>20), ach na b' ìsle na bha e aig a' bhun-sgoil, far an tuirt mu 30 sgoilear gun robh iad airson a' Ghàidhlig a chumail ris a' chloinn aca fhèin.[36]

---

35 Cf. Ó Giollagáin 2011.
36 Bha Mòrag Stiùbhart a-mach air an aon cheist na pàipear air cainnt dheugairean (Stiùbhart

Bha e inntinneach faicinn gun robh seasamhan na cloinne cho làidir is taiceil mu choinneimh na Gàidhlig sa chiad dol-a-mach, gu h-àraidh am measg sgoilearan BS, agus ged a bha lagachadh ga shealltainn sna beachdan is faireachdainnean sin aig ìre na h-àrd-sgoile, aithnichidh sinn comasachd[37] mhòr an sin airson a bhith ag obair leis na seasamhan taiceil a chunnaic sinn aig ìre BS agus a' cur riutha bhon aois òig sin air adhart gus am bi iad fhathast làidir nuair a ruigeas a' chlann ìre AS.

A bharrachd air sin, bha e fìor mhath faicinn gun robh a' mhòr-chuid de na sgoilearan ann an da-rìribh dòigheil a bhith ann am FMG no a bhith ag ionnsachadh chuspairean tron Ghàidhlig, às bith cò bha air an suidheachadh ionnsachaidh sin a thaghadh dhaibh. Daingnichidh na freagairtean a thug iad seachad mu dhreuchd na Gàidhlig sna teaghlaichean aca fhèin san àm ri teachd na faireachdainnean taiceil is dòigheil a bha sin, oir, mura biodh a' chlann fhèin toilichte le Gàidhlig agus FMG, is cinnteach nach biodh iad a' smaoineachadh mu bhith a' cur an cuid cloinne fhèin dhan aon suidheachadh ionnsachaidh san àm ri teachd.

2.3 Tuigse na cloinne air a' Ghàidhlig (eachdraidh/cultar, a h-inbhe is a feum)

Bha ùidh air a bhith agam cuideachd anns a' cheist dè an seòrsa tuigse a bh' aig clann ann am FMG air a' Ghàidhlig fhèin, bho thaobh dhiofar shealaidhean. An robh iad gu math eòlach air eachdraidh bhunaiteach na Gàidhlig agus air a' chultar a tha air a bhith ceangailte ris a' chànain? Bha ùidh agam a-rèist anns an dà chuid cultar gu h-eachdraidheil agus mar a bha a' chlann a' coimhead air cultar is inbhe na Gàidhlig san latha an-diugh. A bharrachd air sin, bha mi airson faighinn a-mach dè an seòrsa feum a chunnaic na sgoilearan sa Ghàidhlig, aig an àm sin fhèin agus san àm ri teachd, agus ciamar a thuig iad fhèin adhbharan aig bonn FMG sa chiad dol-a-mach, ma bha iad idir mothachail orra. Leis na ceistean sa phàirt seo, a-rèist, bha mi airson beachd fhaighinn air mothachadh agus eòlas na cloinne air a' chànain ann an co-theagsa an latha an-diugh, dè cho mothachail is a bha iad air a suidheachadh agus, ma bha idir, am faca iad ceangal eadar inbhe na Gàidhlig mar mhion-chànain agus sgoiltean a bhiodh a' tathann FMG agus a' toirt chothroman do chlann gun Ghàidhlig san dachaigh a' chànain a thogail.

2011). Mhothaich i gun robh àireamh gu math mòr (timcheall air 60%, à 146 a cheisteachain) de sgoilearan FMG (AS) an dùil gum biodh iad airson an cuid cloinne a chur tron sgoil tro mheadhan na Gàidhlig, an taca ri àireamh fada na bu lugha (mu 40%) a thuirt gum biodh iad fhèin airson a' Ghàidhlig a chumail rin cuid cloinne san àm ri teachd, mar co-dhiù aon de chànainean an teaghlaich.

37 comasachd 'potential'.

Tuigse na cloinne (BS) air a' Ghàidhlig

Eachdraidh is cultar na Gàidhlig

Airson obrachadh a-mach dè an tuigse fharsaing a bh' aig na sgoilearan air a' Ghàidhlig, dh'fhaighnich mi dhaibh dè bh' anns a' Ghàidhlig agus ciamar a mhìnicheadh iad fhèin 'Gàidhlig' do chuideigin eile, mar eisimpleir duine à dùthaich eile nach cuala a-riamh mun chànain sin agus a bhiodh a' faighneachd dhaibh 'Dè th' anns a' Ghàidhlig?'. Thagh mi am modh obrach sin, tro cheistean mì-fhoirmeil, air sgàth 's gun robh mi an dùil nach biodh a' chlann cofhurtail le ceistean foirmeil de leithid, 'Dè an t-eòlas a th' agad air eachdraidh na Gàidhlig?'. Leis mar a chuir mi a' cheist, bha cothrom aig a' chloinn smaoineachadh air còmhradh an àite suidheachadh measaidh san sgoil agus, mar sin, bha mi an dùil gum biodh iad na bu chofhurtaile bruidhinn mu chuspairean ceangailte ris a' Ghàidhlig, agus gum faighinn freagairtean na b' fheàrr. Mura robh beachd sam bith aig cuideigin, chuidich mi rud beag, le bhith a' cur cheistean a bharrachd nan aire, timcheall air eachdraidh is cultar.

Cha robh beachd sam bith aig ochdnar sgoilear air mar a fhreagradh iad a' cheist (.i. ciamar a bhiodh iad a' toirt tuairisgeul air a' chànain is ga mìneachadh do chuideigin eile?) agus, fiù 's le beagan cuideachaidh tro cheistean a bharrachd, cha robh beachd aca dè b' urrainn dhaibh a ràdh mun Ghàidhlig.

> *Smaoinich nan tigeadh cuideigin bho dhùthaich eile agus nach eil fios aca idir dè th' ann an Gàidhlig. Tha iad a' cluinntinn mu dheidhinn Gàidhlig agus tha iad a' faighneachd dhutsa, 'Innis dhomh, dè th' anns a' Ghàidhlig?'*
> ... ... Chan eil fios 'am. ... .. Chan eil fios 'am.
> *Ciamar a bhiodh tu, [...] am b' urrainn dhut rudeigin a ràdh mu dheidhinn, uill, dè th' ann sa chiad dol-a-mach, cò bhios ga bruidhinn, no carson a bhios daoine a' bruidhinn Gàidhlig an seo?*
> Chan eil fios 'am ciam—, carson a tha daoine ga bhruidhinn, ach .. *yeah*, chan eil fios 'am. Bhitheadh a' canail '*Can't help you, mate*'.
> (Sg-2-BS)

Sheall buidheann bheag de sgoilearan eile gun robh beagan tuigse aca air a' Ghàidhlig agus gun cuala iad pìosan fiosrachaidh ma deidhinn, ach, aig an aon àm, cha robh iad air na pìosan sin a sheòrsachadh gu ciallach fhathast, coltach ri mìrean-measgaichte nach deach a chur ri chèile. Às a' bhuidhinn seo, rinn aon sgoilear iomradh air a' cheangal eadar Gàidhlig na h-Alba agus Gàidhlig na h-Èireann, ged nach b' urrainn dhi a mhìneachadh:

> Uill, chanainn gur e, gu bheil e, gum bi iad a' bruidhinn Gàidhlig ann an Èirinn cuideachd, agus gu bheil e, gum bi dhà no trì sgoiltean air

feadh Alba ga bhruidhinn, agus gum bi sinne ga bhruidhinn aig an taigh [...]. (Sg-26-BS)

Tha coltas ann gun cuala an tè seo mun chàirdeas chànanach eadar a' Ghàidhlig ann an Alba agus ann an Èirinn, agus bha i mothachail air diofar ionadan FMG ann an Alba, ach cha robh an comas aice leudachadh air na puingean sin agus an cur ann an co-theagsa. Chuala mi sgoilear eile a rinn iomradh beag air eilthireachd nan Gàidheal do na Stàitean Aonaichte:

Ach bidh daoine a' bruidhinn [Gàidhlig] ann an Ameireagaidh uaireannan [...]. (Sg-14-BS)

Cha do mhìnich an tè sin carson a bha luchd-bruidhinn na Gàidhlig ann an Ameireagaidh sa chiad dol-a-mach, ach bha coltas ann gun robh i air co-dhiù rudeigin a chluinntinn mun eilthireachd sin.

Chuir còignear sgoilear an cèill gum b' e 'cànain eile' a bh' anns a' Ghàidhlig, agus cha do chuir a' mhòr-chuid dhiubh càil a bharrachd ris a' phuing sin. Bha coltas ann gun robh aonan nam measg a' feuchainn ri am bun-bheachd a mhìneachadh gum b' e cànain – 'meadhan conaltraidh' – a bh' anns a' Ghàidhlig, dìreach mar a' Bheurla, a' ciallachadh gum b' urrainnear a h-uile càil a chur an cèill sa Ghàidhlig no sa Bheurla no ann an cànainean eile, a rèir dè na cànainean a bh' aig daoine:

'S e cànan a th' ann, mar Beurla, ach 's e Gàidhlig a th' ann, agus bidh ... mar a, 's e diofar cànan gu Beurla agus mar a tha cànan agadsa tha e diofraichte. Thaobh chànanan agadsa. (Sg-34-BS)

Tha e .. *different language.* (Sg-9-BS)

Tha e dìreach cànan eile. (Sg-24-BS)

Rinn aon sgoilear às a' bhuidhinn seo iomradh air Alba mar dhùthaich dhà-chànanach, .i. mhìnich i gum bruidhneadh daoine ann an Alba a' Ghàidhlig agus cuideachd a' Bheurla. Cha do thog sgoilear sam bith eile a' phuing sin sa phàirt mu thuigse fharsaing air a' Ghàidhlig.

Chuala mi freagairtean beagan na bu leudaichte bho chòignear sgoilear eile, agus iad a' feuchainn ri mìneachadh gum b' e cànain ceangailte ris a' Ghàidhealtachd agus ris na h-eileanan a bh' anns a' Ghàidhlig:

.. Tha Gàidhlig ... .. Gàidhlig .. Gàidhlig, tha e dìreach mar an cànan, an cànan seann den Gàidhealtachd, uill, agus, *yeah,* is tha e *yeah.* Chan eil fhios 'am gum biodh mi a' cantail mar *explain*eadh e. (Sg-14-BS)

.. Bhidh mi a' canail, uill, bhidh mi a' canail .. uill, *Gaelic is usually, ... a language that is spoken in the Highlands and Hebrides and .. it's a very nice language and lots of people in Skye and Uist and Lewis use it. And lots of people in the North, and some people in Edinburgh use it. But it's worth learning, I'd say.* (Sg-33-BS)

Bhidh mi ag ràdh, 's e ... 's e an cànan aig na daoine anns na eileanan agus ... ann an Alba. (Sg-13-BS)

Thuig a h-uile duine sa bhuidhinn sin gun robh a' Ghàidhlig ceangailte gu làidir ris a' Ghàidhealtachd agus ris na h-eileanan, ach, a-rithist, chaidh na beachdan sin a chur an cèill ann an dòigh aon-taobhach (gu tric stèidhichte air an t-sealladh is air an àrainneachd aca fhèin a-mhàin) agus le mòran bheàrnan annta. Cha robh a' chlann cinnteach idir mu shuidheachadh na Gàidhlig san latha an-diugh a thaobh luchd-bruidhinn air feadh na h-Alba, gu h-àraidh luchd-bruidhinn na Gàidhlig ann an àiteachan air taobh a-muigh na Gàidhealtachd is nan eilean, mar eisimpleir, sna bailtean mòra. Bha rud beag tuigse ga sealltainn air an t-suidheachadh nach bruidhneadh a' mhòr-chuid de dhaoine ann an sgìrean cathaireil a' Ghàidhlig, ach, aig an aon àm, bha a' chlann mothachail gum bitheadh feadhainn sna h-àiteachan sin ga bruidhinn, agus cha robh na sgoilearan buileach cinnteach ciamar a rèiticheadh iad na pìosan fiosrachaidh sin ris an tuigse a bh' aca air a' Ghàidhlig.

Ann a bhith a' feuchainn ri mìneachadh dè bh' anns a' Ghàidhlig, rinn sianar sgoilear iomradh air a' cheangal eadar a' Ghàidhlig agus Alba is dualchas Albannach. Gu tric, thàinig e am bàrr gun robh beachd farsaing air a bhith aig na sgoilearan, agus chuir iad ann an dòigh e gus an dèanadh e ciall nan inntinn fhèin. Bha e follaiseach, ge-tà, nach d' fhuair iad fios a-steach mionaideach air an fhiosrachadh bhunaiteach a bha sin, air neo nach do thuig iad idir e aig an àm is gun do dhìochuimhnich iad e.

Dìreach ceist no dhà mu dheidhinn na Gàidhlig fhèin an-dràsta, .. dè th' anns a' Ghàidhlig?
Cànan a tha uabhasach [a' lorg buadhair] ... cànan a tha, muran robh an Gàidhlig an seo, chan eil mi a' smaoineachadh gum biodh Alba mar a tha e an-dràsta. [...] Ach tha mise a' smaoineachadh, nuair a robh iad a' bruidhinn a' Bheurla, bidh a h-uile càil uabhasach diofraichte. Tha mi a' smaoineachadh tha Gàidhlig mar pàirt nàdar, nàdarra .. no .. dè am facal airson mar, dìreach tha thu a' dèanamh a h-uile càil tradaiseanta, 's e tradaisean ann an dòigh a th' ann. (Sg-5-BS)

Bha an sgoilear seo gu math adhartach san tuigse aice is a' togail dhiofar phuingean buntainneach mun Ghàidhlig. Chùm sgoilearan eile na freagairtean aca glè ghoirid agus, glè thric, cha chuireadh iad ach aon bheachd air adhart, agus gun a bhith mionaideach ma dheidhinn idir:

Uill, 's e Gàidhlig .. 's e cànan a th' ann, agus .. thòisich e ann an Alba
[...]. (Sg-10-BS)

Man, 's e ... *language* a th' ann bho, man, na Ceiltich, agus man, dìreach,
... 's e ... .. (Sg-39-BS)

'S math dh'fhaodte gum biodh cuid de leughadairean a' togail na ceist an seo
am biodh beachdan mionaideach aig clann mun aois sin air rud sam bith agus,
mar sin, gur dòcha nach robh na freagairtean cho goirid is uachdarach[38] air
sgàth cuspair na ceist sin (a' Ghàidhlig). Tha mi airson daingneachadh, ge-
tà, nach eil mi a' gabhail ris a' bheachd sin, oir, cha mhòr nach robh a h-uile
pàiste comasach a bhith a' toirt seachad bheachdan mionaideach is ciallach
air cuspairean eile – an dàrna cuid cuspairean ceangailte ris an sgoil air neo
cuspairean prìobhaideach. Far an robh ùidh shònraichte aig cuid ann an cuspair
air choreigin, bha e fiù 's duilich, aig amannan, stad a chur orra sa chòmhradh
gus gluasad air ais do na prìomh cheistean. Mar a mhìnich mi san ro-ràdh,
chùm mi barrachd agallamhan leis a' chloinn na bha mi an dùil a chleachdadh
agus, gu dearbh, far an robh coltas ann gun robh sgoilear dìreach glè dhiùid san
fharsaingeachd agus, air sàillibh sin, gun robh an ìre mhath a h-uile freagairt
aice fìor ghoirid, cha do chleachd mi an t-agallamh san sgrùdadh. Bha mi airson
a bhith cothromach mu choinneimh na cloinne le bhith a' dèanamh cinnteach
nach biodh eisimpleirean san rannsachadh a bha a' coimhead coltach ri dìth
eòlais, ged nach robh annta ach diùideachd.

Am measg nan agallaichean air fad, thog ceathrar puingean eachdraidheil
a thaisbein gun robh beagan tuigse aca air eachdraidh na Gàidhlig, mar
eisimpleir, air a' cheangal eadar Gàidhlig na h-Alba agus Gàidhlig na h-Èireann.
A-rithist, cha chanadh cuid barrachd is gun robh ceangal air choreigin eadar
an dà chànain, gun chinnt dè bh' ann, ach fhuair mi mìneachadh ciallach bho
aon sgoilear:

Tha Gàidhlig mar ... tha e ceangailte, tha e mar *very old Scots*, agus tha mi
a' smaoineachadh, an e Gàidhlig no Èirinneach a bha ann an toiseach?
Èirinneach.
Tha mi a' smaoineachadh gun robh Èirinneach a' tighinn gu Alba, agus
bha iad a' bruidhinn mar Gaeilge ri chèile. Seo dè bha Mamaidh ag ràdh
rium, agus bha e mar, a' *form*adh gu Gàidhlig. *So,* tha e uabhasach fhèin
seann agus tha e dìreach mar diofar rud ann an Gaeilge, 'son tha iad a'
cluinntinn mar an aon rud. Ach ann an diofar dòighean. (Sg-19-BS)

Bha an sgoilear seo air cluinntinn bho phàrant mu eachdraidh na Gàidhlig agus

---

38 uachdarach 'superficial'.

bha i fada na bu shoilleire agus na bu chiallaiche ann a bhith ga chur an cèill na bha a' chuid a bu mhotha de na sgoilearan eile.

Mu dheireadh thall, tha mi airson a' phuing a thogail gun robh buidheann bheag am measg nan sgoilearan aig an robh beachdan no ìomhaighean mun Ghàidhlig a bha air an togail gu ceàrr no aig nach robh susbaint. Gu tric, bha a' chlann air cluinntinn gum b' e cànain gu math sean a bh' anns a' Ghàidhlig, ach cha robh 'sean' a' ciallachadh càil dhaibh aig ìre mhionaideach. Mar sin, chuala mi freagairtean de leithid gum b' e cànain aosta a bh' ann sa Ghàidhlig, air sgàth 's gun robh i air a bhith timcheall 'fad mar aon ciad bliadhna air ais' (Sg-4-BS). Dhaingnich na h-aithrisean nach robh brath co-iomlan[39] aig a' chloinn air ùine agus air mar a bha diofar thachartasan stèidhichte ann an eachdraidh no ann an àiteachan air taobh a-muigh na dlùth-àrainneachd aca fhèin:

> Uill, bha Gàidhlig ann bho ... tòrr bliadhnaichean ann an Alba, is bha Beurla cuideachd, ach bha Gàidhlig man, ann an *seventies* no rudeigin [...]. (Sg-35-BS)

> 'S e dìreach .. cànan a th' aig trì ... àiteachan anns an t-saoghal. Trì eileanan anns an t-saoghal. (Sg-7-BS)

Chithear san eisimpleir mu dheireadh nach robh tuigse an sgoileir glè fharsaing a thaobh àiteachan far am biodh a' Ghàidhlig ga bruidhinn. Chuimhnich i air a' cheangal eadar a' chànain is na h-eileanan a chaidh a thogail na bu tràithe, ach cha do smaoinich i na b' fhaide na sin, a thaobh eachdraidh, feum agus chleachdaidhean cànanach ceangailte ris a' Ghàidhlig air feadh na h-Alba no fiù 's air feadh an t-saoghail.

Inbhe na Gàidhlig
San ath cheum, bha mi airson faighinn a-mach an robh sgoilearan FMG mothachail air suidheachadh na Gàidhlig mar mhion-chànain agus air a h-inbhe ann an Alba, air neo an robh iad dìreach a' coimhead oirre mar chànain na sgoile (agus 's math dh'fhaodte na sgìre), gun a bhith a' ceasnachadh (no a' cluinntinn mu) s(h)uidheachadh na cànain. Airson freagairtean do na puingean sin a phiobrachadh, dh'fhaighnich mi dhaibh sa chiad dol-a-mach an robh iad den bheachd gun robh a' Ghàidhlig fhathast cudromach ann an Alba. Às dèidh dhaibh a' cheist sin a chnuasachadh, chuir mi ceistean orra a bha ceangailte ri suidheachadh na Gàidhlig, feuch an robh iad mothachail gum b' e mion-chànain a bh' anns a' Ghàidhlig agus dè bha sin a' ciallachadh don chànain.

Smaoinich trì cairteil de na sgoilearan gun robh a' Ghàidhlig fhathast cudromach san latha an-diugh ann an Alba. Cha b' urrainn don mhòr-chuid às

---

39 brath co-iomlan 'holistic concept'.

a' bhuidhinn seo mìneachadh carson a bha iad a' smaoineachadh sin, ach rinn cuid de na sgoilearan iomradh air ceanglaichean eadar a' Ghàidhlig agus Alba gu h-eachdraidheil agus gu cultarach.

A bheil thu a' smaoineachadh gu bheil a' Ghàidhlig cudromach san latha an-diugh san fharsaingeachd fhathast, ann an Alba?
Tha mi a' smaoineachadh. Tha tòrr stòraidhean ann an Gàidhlig, agus bhruidhinn tòrr daoine bho an *past* ann an Gàidhlig, *so*, uill, sin … *so*, is *technically*, tha tòrr mar tha Gàidhlig gu, uill, dìreach .. bruidhinn ann an Alba an-dràsta. (Sg-32-BS)

Tha! Oir … Tha e caran a' toirt dhuinn beagan *culture*. (Sg-21-BS)

Uill, … tha e cudromach dha feadhainn, ach tha tòrr daoine nach bi ga bhruidhinn a-nis. Ach tha mi a' smaoineachadh gum bu chòir dhaibh a bhith ga bhruidhinn fhathast. (Sg-26-BS)

Chì sinn san eisimpleir mu dheireadh gun robh beagan eòlais aig an sgoilear air àireamh luchd-bruidhinn na Gàidhlig agus gun do thuig i nach robh a' Ghàidhlig cudromach don a h-uile Albannach. Chaidh dithis sgoilear na b' fhaide na sin, a' cumail a-mach nach robh a' Ghàidhlig cudromach ann an Alba tuilleadh, air neo gun robh i dìreach cudromach do dh'àireamh glè bheag de dhaoine.

A bheil thu a' smaoineachadh gu bheil i cudromach san latha an-diugh san fharsaingeachd fhathast, ann an Alba?
Chan eil. Chan eil uimhir daoine ga bruidhinn, tha agus nise, tha e *too little too late*. Bhiodh ceum aig a bhith a h-uile duine, airson *really* a' *pick*eadh e suas agus a' *becoming fluent* ann, gun a' *pack*adh a-steach tòrr uairean a thìde ag obair air, bhiodh feum agad tòrr, feumaidh tu *really* tòrr daoine mun cuairt thu ga bruidhinn, tòrr [...]. (Sg-3-BS)

Bha e inntinneach faicinn gun do thuig an sgoilear sin na duilgheadasan an lùib ionnsachadh cànain às aonais coimhearsnachd cànanaich làidir is gun robh an suidheachadh sin ga dhèanamh na bu doirbhe buileach cànain a chumail beò ann an raointean-cleachdaidh prìobhaideach. Lean triùir sgoilear eile pàirt de na beachdan sin, a' sealltainn mothachadh nach robh mòran dhaoine ga bruidhinn a-nis ann an Alba is, a bharrachd air sin, gun robh seasamhan gu math trioblaideach is gun a bhith taiceil idir ma coinneimh aig iomadh duine. Thog aon sgoilear a' phuing gun robh daoine ann a bha fileanta anns a' Ghàidhlig ach nach togadh an cuid cloinne tron Ghàidhlig. Cha do cheasnaich i sin; ghabh i ris gum b' e an taghadh aca fhèin a bh' ann, ach thuig i gun robh ceangal eadar suidheachaidhean togail cànain coltach ri sin agus lùghdachadh àireamh luchd-bruidhinn na Gàidhlig ann an Alba:

> [T]ha daoine ann agus tha iad ag ionnsachadh dhan chlann aca Beurla, an àite a bhith ag ionnsachadh dhaibh Gàidhlig, ma tha Gàidhlig aca, ach 's e dìreach an taghadh agad fhèin a th' ann. (Sg-15-BS)

Ged a thuig iomadh sgoilear nach robh àireamh an luchd-bruidhinn glè àrd, bha cuid dhiubh dòchasach mu shuidheachadh na Gàidhlig, a chionn 's gum faca iad fhèin mar a bha ùidh sa Ghàidhlig air èirigh tro chothroman do chlann a bhith a' faighinn an cuid foghlaim tron Ghàidhlig. Chuir ceathrar sgoilear beachdan an cèill a thaisbein gun robh rud beag tuigse aca gun robh na sgoiltean nam pàirt de dh'iomairt na Gàidhlig.

> Bhi, chan eil tòrr daoine a' bruidhinn Gàidhlig a-nise, ach bhidh e math, tha e math airson tha ... tha sgoil, tha an sgoil seo .. a' teagasg Gàidhlig, agus tha tòrr daoine ag iarraidh a' bruidhinn e a-nis. (Sg-12-BS)

Bha a' chlann sin mothachail nach bruidhneadh mòran dhaoine a' Ghàidhlig tuilleadh agus gum b' e pàirt de dhreuchd FMG a bh' ann barrachd dhaoine a bhrosnachadh gus a' chànain ionnsachadh. Chunnaic iad buaidh FMG san sgìre aca, leis gun tòisicheadh, mar eisimpleir, cuid de phàrantan sgoilearan FMG air a' Ghàidhlig ionnsachadh, agus gun do sheall daoine le ceangal ri FMG tuilleadh ùidh sa chànain.

Thàinig e am bàrr gun robh buidheann bheag de sgoilearan (5) a' creidsinn gun robh a' Ghàidhlig cudromach mar phàirt de dhualchas na h-Alba. Cha tuirt an fheadhainn sin cus mu shuidheachadh na Gàidhlig a thaobh àireamh an luchd-bruidhinn, ach smaoinich iad mu adhbharan air am faodadh a' Ghàidhlig a bhith cudromach do dh'Alba agus do mhuinntir na h-Alba. Chaidh adhbharan eachdraidheil, adhbharan ceangailte ri buannachd an dà-chànanais agus feadhainn phearsanta ainmeachadh, stèidhichte air eachdraidh teaghlaich.

> *A bheil thu a' smaoineachadh gu bheil i fhathast cudromach san latha an-diugh san fharsaingeachd ann an Alba?*
> Tha, bhon 's e eachdraidh a th' ann cuideachd. (Sg-39-BS)

> ['S] e pàirt dhen *heritage* a th' ann. Tha e air a bhith sin, bho ro *Mary Queen of Scots*, bhiodh iadsan a' bruidhinn Gàidhlig agus shuas, ro na Fuadaichean, bhiodh iad a' bruidhinn Gàidhlig. Is a h-uile càil mar sin, mar Fuadaichean nan Gàidheal, 's e an aon chànan a bh' aca Gàidhlig. (Sg-27-BS)

> Tha e *really* cudromach airson, mar chan eil Gàidhlig ann, bidh dìreach man, Beurla ann, agus tha e math airson faighinn dà cànan airson, ... tha

man, .. airson bha man na, na pàrantan agus na seanairean air Gàidhlig a .. a thuigsinn [...]. (Sg-35-BS)

Bha mi airson faighinn a-mach cuideachd an robh na sgoilearan mothachail gum b' e mion-chànain a bh' anns a' Ghàidhlig agus dè bha sin a' ciallachadh don chànain agus a luchd-bruidhinn. Sheall ochdnar cloinne beagan tuigse air a' phuing nach robh mòran dhaoine air fhàgail ann an Alba aig an robh a' Ghàidhlig, ach gun robh i air a bhith na mòr-chànain aig aon àm is nach robh e cho fada on a bha gu leòr dhaoine aon-chànanach anns a' Ghàidhlig. Fhuair mi mòran fhreagairtean fìor shìmplidh (mar eisimpleir, 'cha bhi tòrr daoine ga bruidhinn', Sg-25-BS), agus cha do mhìnich duine sam bith am puingean gu domhainn idir, ach bha e fhathast comasach faicinn dè na beachdan bunaiteach air an robh iad a-mach:

> [A]n-diugh, chan eil tòrr daoine a' bruidhinn e, idir idir. Ach anns na seann làithean, cha robh fhios aig daoine air Beurla, bha dìreach Gàidhlig aca. (Sg-12-BS)

A bharrachd air a bhith a' tuigsinn gun robh a' Ghàidhlig ann an suidheachadh duilich, bha ceathrar sgoilear mothachail gun robh cuid de dhaoine agus stèidheachdan gu mòr an sàs ann an iomairt ath-bheothachadh na Gàidhlig, sgoiltean nam measg.

> Agus tha an sgoil seo a dhèanamh nas motha le na daoine ag iarraidh ag ionnsachadh Gàidhlig, *so* tha iad a' toirt an ... cànan gu daoine eile. *So* gum bi e a' tighinn air ais. (Sg-4-BS)

> [C]han eil tòrr daoine a' bruidhinn e agus, ach tha tòrr daoine a' cumail e beò. Tha cuid de daoine, tha ag obair uabhasach cruaidh airson sin. (Sg-3-BS)

Ged nach tuigeadh na sgoilearan sin bun-bheachdan an ath-bheothachaidh gu mionaideach foirmeil, bha iad co-dhiù air am beachd a thogail gun robh daoine a' dèanamh oidhirp shònraichte airson na Gàidhlig. Bhruidhinn mi ri mòran sgoilearan aig an robh beachdan beagan soineanta,[40] agus iad an dùil gun robh cùisean air fàs mòran na b' fheàrr don Ghàidhlig sna bliadhnaichean mu dheireadh is gun do dh'ionnsaich gu leòr de dhaoine i a-nis is gum biodh i sàbhailte o seo a-mach, ach cha robh na h-aithrisean uile cho sìmplidh ri sin. Mar a chì sinn san ath eisimpleir, thog an sgoilear sin iomadh beachd mu shuidheachadh na Gàidhlig, a' sealltainn tuigse beagan na bu doimhne na a' mhòr-chuid de a comhaoisean. Ged nach robh i buileach ceart leis a h-uile

---

40 soineanta 'naïve'.

puing, bha e follaiseach gun robh i air smaoineachadh mun chànain: mar a bha
i, mar a bhiodh cùisean san àm ri teachd a thaobh luchd-bruidhinn agus cho
duilich is a bhiodh e do sgoilearan a cumail a' dol às dèidh na bun-sgoile, far an
robh FMG gam fàgail am broinn saoghail bhig Ghàidhlig:

> [T]ha an Gàidhlig, bha i a' faighinn nas lugha is nas lugha, nas lugha
> de daoine a tha sin, a' bruidhinn Gàidhlig. Ach a-nis, tha i dìreach mar,
> tha mi a' smaoineachadh gu bheil am *population* de daoine as urrainn a'
> bruidhinn e a' faighinn nas motha a-nis, airson tha mi a' smaoineachadh,
> airson a h-uile duine a tha a' bàsachadh a tha a' bruidhinn Gàidhlig, tha
> dà duine a' tòiseachadh ag ionnsachadh e. Ach airson a h-uile duine a
> tha ag ionnsachadh e, airson a h-uile dà dhuine a tha ag ionnsachadh e,
> tha aon duine a' dol a dhìochuimneachadh e ro deireadh an àrd-sgoil.
> (Sg-5-BS)

A dh'aindeoin 's nach robh a h-uile pìos fiosrachaidh san ràdh seo buileach ceart,
b' e seo an sgoilear a thaisbein an ìre a b' àirde de thuigse air suidheachadh agus
inbhe na Gàidhlig.

Mar phàirt de chruinneachadh fiosrachaidh mu eòlas na cloinne air
suidheachadh na Gàidhlig, bha mi airson faighinn a-mach cuideachd an robh a'
chlann mothachail air diofar bheachdan a bhiodh aig daoine ceangailte ri inbhe
na cànain ann an diofar sgìrean ann an Alba, .i. an robh tuigse aca air ìomhaigh
is inbhe na cànain a bharrachd air san sgìre aca fhèin.

Bha seachdnar am measg nan sgoilearan an dùil nach biodh beachdan
eadar-dhealaichte aig daoine a thaobh na Gàidhlig agus a h-inbhe ann an diofar
àiteachan ann an Alba. Aig an aon àm, sheall 15 beagan mothachaidh air a'
chùis, is iad a' dèanamh iomradh co-dhiù air an diofar eadar sgìrean cathaireil
agus na h-eileanan. Bha cuid a-mach air an diofar ann an seasamhan dhaoine 's
chùm feadhainn eile fòcas air àireamh luchd-bruidhinn na Gàidhlig:

> *A bheil thu a' smaoineachadh gu bheil na beachdan aig daoine air a' chànain*
> *diofraichte a rèir càite a bheil thu ann an Alba? [...]*
> Yeah. 'S dòcha bhiodh mar daoine ann an Glaschu a' smaoineachadh
> mar, *neds*, is daoine ann an Glaschu, a' smaoineachadh .. mar, chan eil
> mi coma mu dheidhinn is rudan mar sin. Ach, tha mi a' smaoineachadh,
> tha na daoine nas fhaisge air na eileanan a' smaoineachadh ann an dòigh
> diofraichte, oir tha [...] barrachd daoine a' bruidhinn e ann an sin [...].
> (Sg-14-BS)

Bidh, airson, ann an ... anns na h-eileanan gu h-àraidh, bidh. Tha e
... 's e pàirt mòr dhen beatha acasan, airson tha tòrr tòrr daoine an sin

a' bruidhinn Gàidhlig, sin mar aon dhe na cànanan, sin .. , tha mi a' smaointinn gur e an cànan as motha an sin anns na h-Eileanan an Iar. Ach ann an àiteigin eile, mar a' bhaile mòr, chan eil mi a' smaoineachadh gu bheil cho mòr daoine .. air dìreach fios mu dheidhinn e, air faighinn mu dheidhinn Gàidhlig, 's dòcha nach robh fios aca air an cànan. (Sg-5-BS)

Tuigse air adhbhar FMG

Às dèidh dhomh bruidhinn ris a' chloinn air eachdraidh, cultar agus suidheachadh na Gàidhlig, b' e ceum ciallach a bh' ann a bhith a' dèiligeadh ris a' cheangal eadar am fiosrachadh sin agus FMG fhèin, a dh'fhaicinn an robh na sgoilearan mothachail air ceangal sa chiad dol-a-mach agus ciamar a bha iad a' tuigsinn adhbharan air an deach FMG a thòiseachadh. Mar sin, dh'fhaighnich mi dhaibh an toiseach an robh beachd aca carson a bhiodh sgoiltean a' teagasg tro mheadhan na Gàidhlig agus, nam beachd-san, dè am feum a dhèanadh e do sgoilearan an cuid foghlaim fhaighinn tron Ghàidhlig. Ceangailte ri sin, thug mi sùil air dà-chànanas agus mar a thuig a' chlann am bun-bheachd sin.

Fhreagair ceathrar sgoilear nach robh beachd sam bith aca carson a bhiodh sgoiltean a' teagasg tron Ghàidhlig agus dè am feum a dhèanadh sin dhaibh fhèin. Bha dithis nam measg às an Eilean Sgitheanach agus an dithis eile à Uibhist.

Bha naoinear sgoilear mothachail gu ìre air dreuchd na sgoile ann an iomairt ath-bheothachaidh na Gàidhlig, a' cumail a-mach gun robh FMG ann airson a' Ghàidhlig a chumail beò. Ged a bha còignear sgoilear ann nach tuirt ach an aon seantans, mar eisimpleir, 'Airson chan eil iad ag iarraidh air an Gàidhlig falbh' (Sg-6-BS), fhuair mi freagairtean na bu leudaichte bhon cheathrar eile:

A bheil beachd agad carson a bhios sgoiltean a' teagasg tro mheadhan na Gàidhlig?
Uill, tha iad ag iarraidh a bhith a' teagasg Gàidhlig gus nach bàsaich e a-mach, oir mar, a h-uile càil, [...] *things evolve*, agus fhad 's a tha tìde a' dol air adhart, tha barrachd daoine a' dìochuimhneachadh a' Ghàidhlig. *So* tha iad ga thoirt a-steach dha na sgoiltean, barrachd, is tha iad ag iarraidh, tha iad a' toirt air barrachd daoine a bhith ag ionnsachadh Gàidhlig oir chan eil iad ag iarraidh air ... cailleadh Gàidhlig. (Sg-27-BS)

Bha an fheadhainn sin mothachail air crìonadh na Gàidhlig agus gun robh dreuchd chudromach aig FMG ann a bhith a' togail barrachd luchd-bruidhinn na Gàidhlig. Chunnaic mi beachdan rud beag coltach ri seo sna freagairtean bho chòignear eile, a rinn iomradh air beachdan a bhuineas do dh'ath-bheothachadh, ach chùm iad na freagairtean aig ìre phragtaigeach a-mhàin, seach ìre fharsaing is eas-cruthach.

Smaoinich aon sgoilear gun teagaisgeadh sgoiltean tron Ghàidhlig gus an cleachdadh daoine ann an diofar raointean-cleachdaidh i, a bharrachd air san sgoil, is gun cumadh iad a' dol ga bruidhinn san àm ri teachd. A bharrachd air ionnsachadh a bruidhinn, bha e na phàirt cudromach de FMG, a rèir na tè seo, gun ionnsaicheadh a' chlann mu dheidhinn na cànain:

> *A bheil beachd agad carson a bhios sgoiltean a' teagasg tro mheadhan na Gàidhlig?*
>
> Uill, airson ... gum bi daoine a' bruidhinn e aig an taigh, taobh a-muigh sgoil is gun cùm iad a' bruidhinn e is gun ionnsaich iad rudan ma dheidhinn Gàidhlig, agus gun cùm iad a' bruidhinn nuair a dh'fhàs iad mòr. (Sg-7-BS)

Rinn aon sgoilear iomradh air a' phuing gur dòcha gun robh FMG ann air sgàth 's gum b' e aon de na cànainean Albannach a bh' anns a' Ghàidhlig, a' seaghachadh[41] gun robh ceangal sònraichte eadar an dùthaich agus a' chànain. Ge-tà, cha robh an sgoilear glè chinnteach às a freagairt fhèin agus cha do mhìnich i na bha i a' ciallachadh gu mionaideach na bu mhotha.

> Uill, 's e cànan eile agus 's e an cànan, mar, cànan inntinneach is 's e cànan a th' ann na h-Alb–, no aon den cànanan Albannach no rudeigin? (Sg-14-BS)

Cha do rinn sgoilearan eile iomradh air ceanglaichean eadar Alba agus a' Ghàidhlig gu cultarach.

Bha deichnear den bheachd gum b' e dà-chànanas an t-adhbhar a bha FMG air a thoirt gu buil:

> .. Tha e ... tha e math, a' *know*eadh *different language*. (Sg-9-BS)
>
> *A bheil beachd agad carson a bhios sgoiltean san fharsaingeachd a' teagasg tro mheadhan na Gàidhlig?*
>
> Tha mi a' smaoineachadh gu bheil iad a' smaoineachadh gu bheil e math, a' teagasg, .. tha math bhith a' teagasg cànan eile [...]. (Sg-19-BS)

Thaisbein an fheadhainn sin, gu fìor bhunaiteach, gun cuala iad gum biodh e na bhuannachd dhaibh nan robh dà chànain aca an àite dìreach aonan. Thèid sùil nas mionaidiche a thoirt an-dràsta air beachdan ceangailte ri dà-chànanas a chuir a' chlann an cèill fhad 's a bhruidhinn mi riutha air an fheum a dhèanadh FMG dhaibh.

---

41 a' seaghachadh – 'implying'.

Chuala mi bho shianar sgoilear gum faca iad feum ann an dà-chànanas, air sgàth 's gun robh sin gam fàgail na bu shùbailte a thaobh taghadh chànainean ann an suidheachaidhean diofraichte. Dh'fheuch cuid dhiubh ri chur an cèill gun robh e math cànain a bharrachd a bhith aca agus mar a bheireadh e seallaidhean eadar-dhealaichte dhaibh a bhith ag ionnsachadh an aon rud ann an dà chànain, a thuilleadh air briathrachas eadar-dhealaichte.

Tha mi ag iarraidh 'g ionnsachadh e ... airson cànan eile, ... mar fear *spare*. Mar, chan eil mi dìreach a' bruidhinn Beurla fad na h-ùine. (Sg-34-BS)

[T]ha thu ag ionnsachadh a h-uile càil ann an dà chànan. [...] bidh thu a' dèanamh a h-uile càil ann am Beurla agus a h-uile càil ann an Gàidhlig. [...] Mar sin, tha mi a' smaoineachadh gu bheil mi ag ionnsachadh nas motha anns a' Ghàidhlig na tha mi anns a' Bheurla airson [...] tha thu ag ionnsachadh a h-uile càil dà thursan [...]. (Sg-5-BS)

Cha robh na freagairtean seo glè mhionaideach ach thàinig seasamhan fìor inntinneach troimhe fhathast, a' sealltainn gun do thuig iad rud beag cò ris a bha e coltach nam beatha làitheil a bhith dà-chànanach.

Rinn dithis sgoilear eile iomradh air cànainean a bharrachd air a' Ghàidhlig agus gun robh iad an dùil gum biodh e na b' fhasa dhaibh cànainean eile ionnsachadh air sgàth 's gun robh iad air a bhith dà-chànanach bho aois glè òg. Bha e follaiseach gun robh an fheadhainn sin air cluinntinn mu bhuannachdan dà-chànanais na b' fharsainge na buannachdan don inntinn is do dhòighean smaoineachaidh.[42]

Feum na Gàidhlig

Mar phàirt mu dheireadh de chruinneachadh fiosrachaidh air tuigse na cloinne air a' Ghàidhlig, bha mi airson beachdan nan sgoilearan fhaicinn a thaobh an fheum a dhèanadh a' chànain dhaibh. An robh iad air a bhith a' smaoineachadh mu dheidhinn sin idir? Agus, ma bha, an robh sin dìreach ceangailte ris an àm sin fhèin no an do smaoinich iad barrachd mun fheum a dhèanadh a' Ghàidhlig dhaibh san àm ri teachd a thaobh obraichean agus msaa? Gus freagairtean fhaighinn do na ceistean sin, dh'fhaighnich mi dhaibh an toiseach an do smaoinich iad am biodh a' Ghàidhlig feumail dhaibh. An uair sin, chuir mi a' cheist orra carson, nam beachd-san, a dh'ionnsaicheadh inbhich a' Ghàidhlig agus dè am feum a dhèanadh a' chànain dhaibhsan. Bha mi a' sireadh fiosrachadh an sin air mar a smaoinich iad air cho feumail is a dh'fhaodadh

42 J. Edwards 2009, Baker 2006.

a' Ghàidhlig a bhith dhaibh fhèin, san àm ri teachd, ach, aig an aon àm, bha mi mothachail gur math dh'fhaodte nach biodh e furasta don a h-uile pàiste smaoineachadh air feum na Gàidhlig dhaibh fhèin, san àm ri teachd, leis mar a bhiodh am pròsas smaoineachaidh sin a' gabhail a-steach gluasad eas-cruthach[43] nam beachdan agus deargaidhean aca. Airson a' cheist a dhèanamh na b' fhasa dhaibh, dh'fhaighnich mi dhaibh mu inbhich timcheall orra, agus mun fheum a dhèanadh a' Ghàidhlig dhaibhsan.

Nuair a chuir mi a' cheist air a' chloinn an robh iad a' smaoineachadh an robh a' Ghàidhlig feumail dhaibh, cha do chùm ach dithis sgoilear a-mach nach fhaca iad feum sam bith anns a' Ghàidhlig, agus bha aonan dhiubh gu math mì-chinnteach mun chùis. Às dèidh dhi a ràdh iomadh turas nach robh i an dùil gun robh e feumail don chloinn idir a bhith air an teagasg tron Ghàidhlig, thuirt i gur dòcha gum bitheadh i cuideachail do chlann 'airson bidh daoine uaireannan a' bruidhinn Gàidhlig riutsa, ach ma nach robh Gàidhlig agad, cha bhi fios agad dè tha iad ag ràdh' (Sg-29-BS). Chunnaic an tè sin co-dhiù rud beag feum anns a' Ghàidhlig mar chànain conaltraidh a-rèist.

Chuala mi bho cheathrar sgoilear gun robh a' Ghàidhlig feumail dhaibh air sgàth 's gum b' urrainn dhaibh a cleachdadh mar chànain dhìomhair am measg dhaoine aig nach robh a' Ghàidhlig. Chaidh diofar shuidheachaidhean ainmeachadh an seo, nam measg geamannan buill-choise (far nach tuigeadh an sgioba eile na chanadh na cluicheadairean ri chèile), bùithtean agus siubhal.

> So, ma tha daoine nach eil mi ag iarraidh a cluinntinn, [...] mar air am *ferry*, cha robh fhios aig na balaich, mar na co-ogha balaich againn, agam, air tòrr Gàidhlig, *so* bha mi fhìn is mo co-ogha nighean dìreach a' bruidhinn mu dheidhinn iad, ann an Gàidhlig! (Sg-4-BS)

> Uill, 's toil leam Gàidhlig, oir tha i diofraichte, agus chan eil tòrr daoine a' bruidhinn e, *so*, 's e mar cànan math airson .. dèanamh mar *meeting* agus rudan ach ann an àite rud beag *busy*. (Sg-16-BS)

Bha coltas ann gum faca na sgoilearan sin barrachd feum sa Ghàidhlig am measg dhaoine gun Ghàidhlig.

Chùm sgoilear eile a fòcas air cothroman a gheibheadh i tro FMG an-dràsta fhèin, mar eisimpleir cuairtean sònraichte agus pròiseactan nach dèanadh ach sgoilearan à FMG. Chunnaic i feum sa Ghàidhlig air sgàth 's gun robh a beatha sgoilearail na b' inntinniche leis na cothroman a bharrachd a fhuair i tro FMG, aig an àm sin fhèin, gun a bhith a' smaoineachadh fhathast air an àm ri teachd.

---

43 gluasad eas-cruthach 'abstract transfer'.

[T]ha tòrr man *advantages* ann, man 's urrainn dhut dol, man gun Mhòd, agus ma tha dìreach Beurla agad, cha bhi thu a' dèanamh sin, *so* tha e uabhasach math! (Sg-31-BS)

Thuirt tè eile gun robh a' Ghàidhlig feumail dhi sna clasaichean Gàidhlig, mar eisimpleir airson sgeulachdan a sgrìobhadh anns a' Ghàidhlig. Cha deach an smuain sin a chur gu ìre eas-cruthach ann an dòigh sam bith; na h-àite, chleachd an sgoilear reusanachadh cearcallach: mhìnich i feum na Gàidhlig leis an fheum a dhèanadh i ann an clas Gàidhlig (mar a dhèanadh cànain sam bith ann an clas cànanach air an dearbh chànain sin), gun a bhith a' briseadh a-mach às a' cho-theagsa chuingealaichte sin is a' smaoineachadh air feum farsaing fìorachail na cànain.

Chualas bho chòignear sgoilear gun robh iad a' smaoineachadh gum biodh a' Ghàidhlig feumail dhaibh san àm ri teachd, airson obraichean fhaighinn. Bha iad an dùil gum biodh e cuideachail dhaibh nan nochdadh sgilean Gàidhlig air a' chunntas-bheatha aca:

Uill, tha e math a bhith a' faighinn an cothrom a' bruidhinn Gàidhlig, airson an uair sin, 's urrainn dhuinn faighinn obair nach urrainn sinn faighinn ma tha sinn dìreach a' bruidhinn Beurla. (Sg-25-BS)

Bha feum na Gàidhlig mar a mhìnich dithis sgoilear e stèidhichte air ìomhaigh cheàrr no gun a bhith susbainteach. Thuirt aonan dhiubh gum biodh a' Ghàidhlig feumail airson siubhal ann an Ameireagaidh no ann an Canada, air sgàth 's gun robh a' Ghàidhlig aig cuid de dhaoine an sin, agus bha tè eile den bheachd gun robh a' Ghàidhlig feumail mar chànain a bharrachd airson conaltradh a chumail ri daoine nuair a bhite a' siubhal san fharsaingeachd:

Tha e cudromach, airson .. man a thuirt mi e air na *holidays* againn, chan eil fhios agam air tòrr mòran Fraingis, ach tha tòrr fios agam air Gàidhlig *so* bidh mi ag ràdh Gàidhlig tòrr, air na làithean-saora. (Sg-35-BS)

Tha e fìor gu bheil luchd-bruidhinn na Gàidhlig anns na Stàitean Aonaichte agus ann an Canada, ach 's e àireamh glè glè bheag a th' ann, an taca ris an t-sluagh air fad agus, gu dearbh, chan i a' chànain a chleachdas daoine mar chànain chumanta conaltraidh. Mar a chaidh a chur leis a' chiad sgoilear an seo, ge-tà, gheibhear am beachd gu bheil eòlas air a' Ghàidhlig riatanach sna dùthchannan sin. Chithear gun robh beachdan nan sgoilearan sin air feum uile-choitcheann na Gàidhlig stèidhichte air tuigse eu-coileanta air inbhe na Gàidhlig is air a luchd-bruidhinn san t-saoghal.

Nuair a dh'fhaighnich mi do na sgoilearan carson a smaoinich iad a dh'ionnsaicheadh inbhich Gàidhlig, thuirt sianar nach robh beachd sam bith aca air sin no air feum na Gàidhlig do dh'inbhich san fharsaingeachd. A bharrachd air sin, fhuair mi freagairt a chuir sìos air a' Ghàidhlig, a' seaghachadh nach biodh daoine airson a h-ionnsachadh ach nam biodh iad a' dol tro *midlife crisis*:

> *[B]idh tòrr inbhich cuideachd ag ionnsachadh Gàidhlig agus a' feuchainn ri a neartachadh. A bheil beachd agad carson a tha sin?*
> ... *Midlife crisis?* Chan eil fios agam! (Sg-3-BS)

Dh'ainmich sgoilearan eile beachdan na bu shusbaintiche na sin. Thuirt dithis gun robh iad an dùil gun robh inbhich a dh'ionnsaicheadh a' Ghàidhlig airson a bhith comasach air a' chànain a chleachdadh ris na daoine aig an robh i ann an Alba, mar chànain conaltraidh, gu h-àraidh ma bha iad a' fuireach ann an sgìre Ghàidhlig. A bharrachd air ùidh innte mar mheadhan conaltraidh, thàinig e am bàrr sna freagairtean seo gun do smaoinich na sgoilearan gun robh ùidh aig inbhich sa Ghàidhlig mar phàirt de chultar Albannach.

> .. Tha mi a' smaoineachadh 's dòcha gum biodh iadsan ionnsachadh mar, tha iad air a bhith ga chluinntinn agus mar, 's caomh leotha e, agus gu bheil iad ag iarraidh .. an cànan ionnsachadh airson ... gum faigh iad air a dhol a dh'Alba agus bruidhinn Gàidhlig ri daoine aig a bheil Gàidhlig. (Sg-26-BS)

Chuir triùir eile am beachd an cèill gur dòcha gum faigheadh inbhich cothroman obrach na b' fheàrr: gu h-ionadail, nan robh iad ann an sgìre làn-Ghàidhlig, far am biodh daoine an dùil gun robh co-dhiù beagan Gàidhlig aca, agus, gu farsaing, nan robh iad ag iarraidh obair ceangailte ris a' Ghàidhlig an àite sam bith, mar eisimpleir teagasg.

> *Agus, tha fhios agad, bidh tòrr inbhich cuideachd ag ionnsachadh Gàidhlig agus a' feuchainn ri a neartachadh. A bheil beachd agad carson a tha sin?*
> Airson gum bi fios aca ma bhios iad ag iarraidh a bhith na tidsear, gu bheil fios aca ciamar a tha iad, 's dòcha gu .. bidh iad na tidsear Beurla, ach 's dòcha gum bi, 's dòcha gu bheil iad ag iarraidh Gàidhlig a bhith aca. (Sg-38-BS)

Chùm ceathrar a' chùis gu math farsaing, ag ràdh gun robh iad an dùil gun robh na h-inbhich sin dìreach airson cànain ùr ionnsachadh, gun chuideam sònraichte air a' Ghàidhlig. Thog triùir eile a' phuing gur dòcha gun ionnsaicheadh inbhich a' Ghàidhlig airson a' chànain ath-bheothachadh:

> Uill, tha mi a' smaoineachadh nach eil iad ag iarraidh an cànan bàsachadh, oir 's e cànan aosta a th' ann. (Sg-10-BS)

Ceangailte ri beachdan ath-bheothachaidh, chùm ceathrar sgoilear a-mach gur math dh'fhaodte gun ionnsaicheadh inbhich a' Ghàidhlig gus am b' urrainn dhaibh a toirt air adhart do dhaoine eile, an uair sin, tro theagasg. 'S e sealladh rud beag cuingealaichte a chithear an sin, oir tha coltas ann gun do smaoinich a' chlann seo air taobh a-staigh an t-saoghail aca fhèin a-mhàin, far an robh am fòcas air an sgoil agus air ionnsachadh, agus nach do choimhead iad na b' fhaide na sin.

Ciamar a bhios sin feumail do inbhich?
Uill, tha iad a' faighinn faclan ùra. Agus faodaidh iad iad ag ràdh gu daoine eile nach eil Gàidhlig aig iad, agus a' tidseadh iad. (Sg-1-BS)

Mhìnich dithis sgoilear gur dòcha gun robh daoine nach d' fhuair an cothrom a dhol tro FMG nuair a bha iad òg, ach aig an robh ùidh ann an ionnsachadh na Gàidhlig, airson a' chànain a thogail mar inbhich. Chì sinn anns na freagairtean seo a-rithist cho faisg is a bha beachdan na cloinne air an eòlas làitheil phragtaigeach aca fhèin:

[T]ha iad a' faicinn uile dhen clann anns an sgoil a dh'ionnsachadh Gàidhlig agus tha iad a' smaoineachadh 'carson nach do rinn mise sin nuair a bha mise òg?' *So* tha iad a' smaoineachadh 'carson nach tèid sin gu oilthigh Gàidhlig agus feuchaidh sinn e!' (Sg-17-BS)

Airson, man nuair a tha iad beag, 's dòcha nach do chuir na pàrantan aca san sgoil Gàidhlig, is an uair sin tha iad man ag ionnsachadh mu dheidhinn is mar sin, tha iad ag iarraidh ionnsachadh e. (Sg-39-BS)

Fhuair mi freagairtean a bharrachd san earrainn seo nach robh susbainteach. Ge-tà, cha robh mi ach airson na puingean a thaisbeanadh às an d' fhuair mi fiosrachadh a ghabhadh tuigsinn agus sgrùdadh gu ìre.

Sealladh inbheach air tuigse na cloinne (BS) air a' Ghàidhlig

Anns a' chòmhradh ri pàrantan is luchd-teagaisg, bhruidhinn sinn mu eòlas na cloinne air eachdraidh agus cultar na Gàidhlig a-mhàin. A' leantainn susbaint cheistean à agallamhan na cloinne, dh'fhaighnich mi do na h-inbhich an robh fios aig a' chloinn air bun-fhiosrachadh eachdraidheil a thaobh na Gàidhlig, càite an robh a' chànain ga bruidhinn ann an Alba, dè an suidheachadh anns an robh i san latha an-diugh agus msaa.

Cha do bhruidhinn mi ri inbhich air tuigse na cloinne air adhbhar FMG no air am beachdan mun Ghàidhlig san àm ri teachd. Dhèilig na ceistean sin ri beachdan glè phearsanta na cloinne is chan fhaca mi adhbhar a bhith a' gabhail a-steach tomhas nan inbheach air puingean air nach biodh fios aca le cinnt.

Luchd-teagaisg BS

Thog an luchd-teagaisg eisimpleirean sònraichte de dhiofar bheachdan agus ìrean de thuigse a bh' aig a' chloinn. Dh'aithris mòran dhiubh nach robh iad cinnteach dè an seòrsa ìre de dh'eòlas a bh' aig a' chloinn a thaobh eachdraidh is cultar na Gàidhlig. Chì sinn tro na freagairtean sin mar-thà nach e cuspair mòr a bh' ann san sgoil.

Chuir aon neach-teagaisg an cèill gun do ghabh i ris gun smaoinicheadh clann le Gàidhlig san teaghlach ma deidhinn ann an dòigh phearsanta, mar phàirt de bheatha is eachdraidh an teaghlaich aca fhèin, gun a bhith a' ceasnachadh suidheachadh no inbhe na Gàidhlig ann an Alba air fad. Cha robh an tidsear seo cinnteach dè an seòrsa tuigse a bhiodh aig clann gun cheangal ris a' Ghàidhlig bho thùs.

Bha neach-teagaisg eile den bheachd gum biodh rud beag tuigse aig na sgoilearan, mar eisimpleir, air cuid de dh'àiteachan far am biodh a' Ghàidhlig ga bruidhinn ann an Alba, gun a bhith eòlach air an dealbh mhòr, 's e sin suidheachadh agus sgaoileadh na Gàidhlig:

> *Dè mu dheidhinn fiosrachadh mu dheidhinn càite am bi Gàidhlig ga bruidhinn fhathast an-diugh? Uill, 's dòcha san latha an-diugh agus cuideachd gu h-eachdraidheil, a bheil beachd aca [...] air rudan mar sin?*
> O, 's dòcha gum bi. Nan canadh tu sin, canaidh iad Leòdhas, *Uist*, na Hearadh, 's dòcha bhiodh sin e. Cha chanadh iad Glaschu, Inbhir Nis, ged a tha daoine ann a tha a' bruidhinn na Gàidhlig. .. Bidh a' chlann a' smaoineachadh gu bheil i dìreach ann an aon àite, agus 's e na h-eileanan a th' ann, 's dòcha. (NT-7-BS)

Leis an aithris seo dh'èirich a' cheist, ge-tà, ma bha an neach-teagaisg mothachail air na laigsean sin ann an eòlas nan sgoilearan, carson nach do chuir i càil fa-near dhi gus an suidheachadh sin a leasachadh? Bha coltas deireannach air an aithris seo, mar gun robh e na dhleastanas dhi fiosrachadh air an *status quo* a thaobh tuigse na cloinne a thoirt seachad a-mhàin, gun luaidh air an dreuchd aice ann a bhith gan teagasg is an cuid eòlais a leasachadh.

Pàrantan BS (air eachdraidh agus cultar)

Chunnaic mi sa mhòr-chuid de fhreagairtean nam pàrant nach robh iad buileach cinnteach mun ìre de dh'eòlas a bh' aig a' chloinn aca air eachdraidh is cultar na Gàidhlig. Thuirt triùir phàrant gun robh iad an dùil gun robh fios gu ìre aig a' chloinn, ach nach biodh an t-eòlas sin glè dhomhainn fhathast.

Gu tric, chaidh a ràdh gum biodh beachd aig a' chloinn aig ìre phearsanta air carson a bha iad fhèin air Gàidhlig a thogail aig an taigh no san sgoil, a chionn 's gum faiceadh iad gun robh a' chànain, mar eisimpleir, aig daoine bhon teaghlach aca no aig muinntir na coimhearsnachd.[44] Bha pàrant eile dòchasach gun robh tuigse aig na sgoilearan air suidheachadh na Gàidhlig mar mhion-chànain agus air dreuchd na sgoile ann an ath-bheothachadh na cànain:

> Tha mi a' smaoineachadh gu bheil, gu bheil iad a' tuigsinn tuilleadh mu dheidhinn suidheachadh Gàidhlig agus .. carson a tha e cudromach a bhith ag ionnsachadh Gàidhlig, .. agus .. dìreach mu dheidhinn .. dà chàn–, .. foghlam dà-chànanach. (P-16-BS)

Bha triùir phàrant an dùil gun do choimhead a' chlann air a' Ghàidhlig mar phàirt de dhòigh-beatha sgìrean sònraichte ann an Alba, gu h-àraidh anns na h-eileanan. Ghabhadh clann à àite mar sin rithe mar phàirt den choimhearsnachd no den teaghlach aca fhèin (ceangal cultarach glè phearsanta), gun a bhith ga ceasnachadh. Agus smaoinicheadh clann à àrainneachd na bu laige a thaobh na Gàidhlig gu tric gun do bhuin a' chànain gu nàdarrach do dh'àiteachan mar na h-eileanan – ann an dòigh a cheart cho nàdarrach ri, mar eisimpleir, mar a bhuineas an Fhraingis don Fhraing.

> Tha mi a' smaoineachadh gu bheil iadsan dìreach ga fhaicinn, .. bha Gàidhlig anns na h-eileanan is ann an Alba co-dhiù [...]. Cha robh ann ach pàirt de, dòigh-beatha na daoine. Sin .. an cànan a bha [ann an + ag ainmeachadh eilean], an aon rud is a tha ... a h-uile ... Fraingis, Gearmailtis, is na cànan sin às na h-àiteachan aca fhèin. (P-7-BS)

Mar sin, fhuair mi a-mach air an dàrna làimh gun robh tuigse chultarach air a' Ghàidhlig an crochadh air suidheachadh cànanach na cloinne fhèin, gu prìobhaideach, ach, air an làimh eile, chaidh an dragh a thogail le aon phàrant

---

44 'S e cuspair gu math iomadh-fhillte a th' ann an cleachdadh cànain an taobh a-staigh choimhearsnachdan tradaiseanta. A rèir a' chunntais-shluaigh mu dheireadh (cf. Mac an Tàilleir 2013) a tha a' sealltainn lagachadh na cànain sna coimhearsnachdan sin san fharsaingeachd agus a rèir rannsachaidh a chaidh a chumail ann an Siabost (Mac an Tàilleir et al. 2010) – aon de na coimhearsnachdan Gàidhlig a bu làidire ann an Leòdhas – air cleachdaidhean cànain sa bhaile, air taobh a-staigh theaghlaichean agus eadar diofar ghinealaich, tha beàrn air nochdadh ann an cleachdaidhean Gàidhlig sna coimhearsnachdan fhèin. Glè thric, chan fhaigh clann (le Gàidhlig bho thùs no luchd-ionnsachaidh FMG) mòran chothroman tuilleadh a' Ghàidhlig a bhruidhinn ris na ginealaich nas sine, leis mar a dh'atharraich pàtrain cleachdaidh cànanach. Gu tric, bruidhnidh daoine à ginealach seann-phàrantan na cloinne a' Ghàidhlig am measg a chèile fad an t-siubhail, ach a' Bheurla ri ginealach na cloinne fhèin – am measg adhbharan eile, air sgàth 's nach eil iad an dùil gu bheil e nàdarrach don chloinn a' Ghàidhlig a bhruidhinn (ma tha i aca idir) agus seach gu bheil e aig amannan na dhuilgheadas don dà bhuidhinn sin gu bheil cainnt na coimhearsnachd cho eadar-dhealaichte bho chainnt na sgoile. Mar sin, 's e ceist mhòr a th' innte dè cho mòr is a tha am fios a-steach Gàidhlig a gheibh clann tro na coimhearsnachdan aca ann an da-rìribh.

gun coimheadadh a' chlann air a' Ghàidhlig mar chànain na sgoile a-mhàin, gun a bhith a' smaoineachadh air raointean-cleachdaidh eile, no air suidheachadh agus eachdraidh na Gàidhlig.[45] 'S math dh'fhaodte gun tachradh sin air sgàth 's nach robh mòran cloinne ann am FMG cleachdte ris a' Ghàidhlig mar chànain a bhiodh ga cleachdadh gu prìobhaideach, gu h-àraidh sgoilearan às na bailtean mòra.

Bha dithis phàrant an ìre mhath cinnteach nach robh ach glè bheag de dh'eòlas aig a' chloinn aca air eachdraidh is cultar na Gàidhlig, gu h-ionadail no gu farsaing. Thog pàrant eile a' phuing gun robh ìomhaigh aig na sgoilearan den chànain nach robh buileach ceart agus gun robh cuid dhiubh an dùil nach robh a' Ghàidhlig ann an da-rìribh ann an cunnart, ged a bha fios aca gum b' e 'mion-chànain' a bh' innte. Ach a rèir choltais, cha bhiodh facail mhòra mar 'mion-chànain' a' ciallachadh mòran don chloinn às aonais eòlais na bu shusbaintiche, mar eisimpleir àireamhan luchd-bruidhinn:

> [T]ha mi a' faireachdainn gu bheil fios aig a' chlann, ach tha iad a' dèanamh seòrsa sheachnadh, chan eil fhios 'am. *You know, 'Yeah, yeah, we know it's a dying language, so what', you know.* [...] 's dòcha nach eil iadsan a' tuigsinn dè cho gann a tha daoine a tha ga bhruidhinn, ga bruidhinn, duilich. Agus fiù 's thuirt B (a nighean) aon latha, *you know,* 'bhiodh e fìor mhath nan robh comas againn a' dol air ais gu, gu .. am b' e *Rome* a bh' ann, nuair a bha daoine fhathast a' bruidhinn Gàidhlig ann an *Rome.' So,* ach tha mi a' smaointinn gu bheil seòrsa .. seòrsa ìomhaigh aca nach eil buileach fìor. (P-10-BS)

Coltach ris na h-eisimpleirean seo, chuala mi glè thric bhon chloinn fhèin, gu h-àraidh sa Ghalltachd chathaireil, gun robh iad den bheachd gum bruidhneadh a h-uile duine sna h-Eileanan Siar a' Ghàidhlig fhathast, is mòran nam measg aon-chànanach. 'S e duilgheadas a tha seo, oir, ma tha clann an dùil gu bheil àiteachan ann an Alba far a bheil a' chànain fhathast fìor làidir is gun a bhith ann an cunnart idir, cha tuig iad am feum air ath-bheothachadh na cànain san aon dòigh, agus cho cudromach is a tha iad fhèin, mar luchd-bruidhinn, airson a' Ghàidhlig a chumail beò, às bith dè an sgìre anns a bheil iad.

TUIGSE NA CLOINNE (AS) AIR A' GHÀIDHLIG

Eachdraidh is cultar na Gàidhlig

Gus obrachadh a-mach dè an seòrsa tuigse a bh' aig na sgoilearan AS air a' Ghàidhlig, chuir mi ceistean timcheall air eachdraidh is cultar na Gàidhlig orra

---

45 Oliver 2006, 160.

san aon dòigh 's a lean mi le sgoilearan BS: dh'fhaighnich mi dhaibh mar a mhìnicheadh iadsan a' Ghàidhlig do chuideigin aig nach robh fios sam bith oirre. A bharrachd air sin, bhruidhinn mi riutha mu cheistean ceangailte ris a' Ghàidhlig san sgìre aca agus ri eachdraidh ionadail.

Cha robh ach dithis sgoilear ann aig nach robh beachd sam bith air a' Ghàidhlig, dè bh' innte, càite am biodh i ga bruidhinn ann an Alba agus air a suidheachadh san latha an-diugh. Sheall sgoilearan eile gun robh beagan eòlais aca, ged a bhiodh sin a' nochdadh gu tric ann am pìosan fiosrachaidh fa leth nach robh air an cur ri chèile gu ceart, dìreach mar a bha mi air mothachadh am measg sgoilearan BS. Bha triùir cloinne anns a' bhuidhinn sin a sheall rud beag tuigse air a' cheangal eadar Gàidhlig na h-Alba agus Gàidhlig na h-Èireann:

> *Nam faighnicheadh, mar eisimpleir, cuideigin bho dhùthaich eile riutsa, 'dè th' anns a' Ghàidhlig?', ciamar a bhiodh tu ga mìneachadh?*
> .. ... Uill, 's e .. .. *language* ..?
> *Cànain.*
> Cànan diofraichte a th' ann, .. a bhios sinn .. a' bruidhinn anns a .. Alba, ach tha rud beag anns an Èirinn cuideachd. Agus 's e .. cànan gu math sònraichte a th' ann. (Sg-67-AS)

Thog sgoilear eile a' phuing gun robh àireamh bheag de luchd-bruidhinn na Gàidhlig ann an Canada cuideachd, ach cha robh i buileach cinnteach is cha do mhìnich i gin de na puingean a bh' aice na bu mhionaidiche.

> .. Chan eil fhios agam *really*, mar, .. 's e mar ... dìreach mar ... tha mar, tha e uabhasach sean mar, ... is cha bhi mar tòrr daoine a' bruidhinn e, ach ... a seo is ... seo mar an aon àite, ach mar Canada is rud, mar Alba, 's e an aon àite a bhith daoine a' bruidhinn Gàidhlig. (Sg-73-AS)

Thuirt triùir sgoilear gum b' e dìreach 'cànain eile' no 'cànain a bharrachd' a bh' anns a' Ghàidhlig, gun a bhith a' sealltainn mothachadh, mar eisimpleir, air a suidheachadh mar mhion-chànain no tuigse na bu doimhne. Chuir cairteal de na sgoilearan (10) an cèill gun robh iad mothachail air ceangal sònraichte eadar a' Ghàidhlig is a' Ghàidhealtachd agus na h-eileanan, agus rinn cuid nam measg iomradh air a' Ghàidhlig mar mhion-chànain:

> 'S e Gàidhlig ... dòigh eile a bhith a' bruidhinn .. a bhios iad a' bruidhinn air, ann an, anns na eileanan, agus ... .. chan eil a' chuid as mò de dhaoine a' bruidhinn e mar an robh ... bliadhnaichean air ais, mar nuair a bha an seanair agam òg. Bha tòrr nas mò daoine ga bruidhinn [...]. (Sg-70-AS)

> .. ... 'S e cànan a bh' ann .. ... agus tha e bho na *Highlands*. Chan eil *really* fios agam. (Sg-55-AS)

Bha a' chuid a bu mhotha de na freagairtean sin fìor bhunaiteach, agus làn iomraidhean air a' mhì-chinnt aca fhèin, gun a bhith a' feuchainn ri na puingean a dh'ainmich iad fhèin a chur ri chèile gu ciallach no ri bhith gan leudachadh. Rinn sianar sgoilear iomradh air a' cheangal eadar a' Ghàidhlig agus Alba air neo dualchas na h-Alba, ach a' mhòr-chuid dhiubh a-rithist gun a bhith mionaideach idir.

> Tha e .. *language* .. Albannach, agus tha mi a' smaointinn gu bheil feum againn a' cumail e a' dol, mar ann an *Wales*, tha *language* acasan, agus tha mi a' smaointinn gu bheil feum aig .. Alba *language*. (Sg-71-AS)

> Chan eil *really* fhios 'am. .. man, dìreach ... cànan eile, cànan ... cànan aosta bho .. Alba. .. Chan eil fhios 'am. (Sg-72-AS)

Chithear a-rithist gun robh beachd no dhà ceart aig na sgoilearan sin, ach nach robh gu leòr eòlais aca gus an dèanadh iad barrachd cèill asta. Bha coltas air cuid de na sgoilearan nach robh iad air smaoineachadh mu dheidhinn eachdraidh, suidheachadh no cultar na Gàidhlig roimhe.

Bha e inntinneach gun do thaisbein dithis cloinne mothachadh gu ìre air poileataigs cànain agus air duilgheadasan a bhiodh a' nochdadh aig amannan ceangailte ri seasamhan an aghaidh na Gàidhlig timcheall orra. Thog aon tè a' phuing nach do chòrd e ri cuid de dhaoine gun robh FMG ga thathann, ach cha do thuig i carson a bha na beachdan sin aca. Thuirt an sgoilear eile gum b' e cànain a bh' anns a' Ghàidhlig nach robh 'uabhasach mar, ... *popular*' (Sg-75-AS).

> .. Tha e *like* cànan, nach eil tòrr daoine a' bruidhinn. Chan eil tòrr daoine .. toilichte le na sgoiltean Gàidhlig airson .. chan eil fios agam carson nach eil iad toilichte [...]. (Sg-59-AS)

Sheall dithis sgoilear eile rud beag tuigse air eachdraidh chànanach na Gàidhlig, a' dèanamh iomradh oirre mar chànain a bhiodh an sinnsearan air bruidhinn ann an Alba agus gun do dh'fhalbh cuid de dhaoine a Chanada is gun do chùm iad orra ga bruidhinn an sin. Chuir aon tè nam measg an cèill gun robh a' Ghàidhlig air a bhith ann an Alba mus robh a' Bheurla ann.

> .. Chan eil fhios agam *really*, mar, .. 's e mar ... dìreach mar... tha mar, tha e uabhasach sean mar, ... is cha bhi mar tòrr daoine a' bruidhinn e, ach ... a seo is ... Seo mar an aon àite, ach mar Canada is rud, mar Alba, 's e an aon àite a bhith daoine a' bruidhinn Gàidhlig. Is ... .. Chan eil *really* fhios agam. (Sg-73-AS)

> Tha e *languag*-, tha e an cànan de na daoine Albannach. Uill, bho na daoine ann a sheo nas motha, tha nas motha, bha nas motha de daoine

an seo a' bruidhinn e. *So* tha e dìreach, tha e a' dol, tha e air a tighinn bho *ancestors*. Agus tha sinn air a cum a' dol air. (Sg-68-AS)

Chuir buidheann bheag de sgoilearan beachdan an cèill a bha an dàrna cuid gun mhòran susbaint no air an togail gu ceàrr. Nam measg, chuala mi iomadh turas gun robh a' Ghàidhlig aig a' mhòr-chuid de dhaoine ann an Alba an-diugh, agus thuirt aon tè gun robh i den bheachd gur ann à Canada a bha a' Ghàidhlig bho thùs:

> *Dìreach ceist no dhà mu dheidhinn na Gàidhlig fhèin an-dràsta, .. dè th' anns a' Ghàidhlig? Nam faighnicheadh, mar eisimpleir, cuideigin bho dhùthaich eile riutsa, 'dè th' anns a' Ghàidhlig?', ciamar a bhiodh tu ga mìneachadh?*
> Cànan a tha tòrr daoine .. a' bruidhinn anns, ann an Alba. Agus tha sinn a' dèanamh e anns an sgoil. (Sg-47-AS)

> .. Cànan .. a tha a' tighinn bho na h-eileanan, agus, tha mi a' smaointinn gun tàinig e bho Canada. (Sg-42-AS)

Inbhe na Gàidhlig

Mar a bha mi air a dhèanamh am measg sgoilearan na bun-sgoile, chuir mi ceistean air sgoilearan AS gus faighinn a-mach dè cho mothachail is bha iad air suidheachadh na Gàidhlig mar mhion-chànain agus air a h-inbhe is a feumalachd ann an Alba. An toiseach, dh'fhaighnich mi dhaibh an do dh'fhairich iad gun robh a' Ghàidhlig fhathast cudromach ann an Alba, agus bha còrr is an dàrna leth de na sgoilearan (22) den bheachd gun robh a' chànain fhathast cudromach san latha an-diugh. Ge-tà, cha robh a' chuid a bu mhotha aca comasach air sin a mhìneachadh. Rinn iad iomradh air beachdan uachdarach nach robh an-còmhnaidh ciallach no buntainneach do dh'Alba, agus bha feadhainn ann nach tuirt càil a bharrachd air gun do smaoinich iad gun robh i cudromach.

> *A bheil thu a' smaoineachadh gu bheil a' Ghàidhlig fhathast cudromach san fharsaingeachd san latha an-diugh, ann an Alba?*
> Tha, oir tha feum agad mar, a' cumail a' dol leis dè tha anns am *past*, agus rudan mar sin. (Sg-48-AS)

> Tha, tha. Oir tha e mar cànan .. uabhasach mar, .. fear nas motha anns an Alba, tha e mar Gàidhlig agus Beurla, tha iad na feadhainn nas motha ann an Alba. (Sg-45-AS)

> .. Tha i cudromach ann an feadhainn àiteachan, ach tha mi a' smaoineachadh gu bheil .. mar tòrr, tha tòrr bailtean is rudan, far nach eil iad a' cleachdadh Gàidhlig cus. (Sg-50-AS)

> Tha, oir, *yeah*, tha e cudromach ga chumail beò, oir 's e eachdraidh, *kind*
> *of* eachdraidh Alba a th' ann. (Sg-70-AS)

Chithear gun deach iomradh a dhèanamh an sin air iomadh beachd, agus sheall
na freagairtean gun cuala a' chlann pìosan fiosrachaidh air a' Ghàidhlig agus air
a h-inbhe, is gun do chuimhnich iad air cuid dhiubh, ach bha mòran sgoilearan
ann nach do thuig no nach fhaca an co-theagsa na bu mhotha.

Am measg nan sgoilearan a chuir an cèill gun robh a' Ghàidhlig fhathast
cudromach, thug ceathrar seachad argamaidean a bha ceangailte ris a' Ghàidhlig
mar phàirt de dhualchas na h-Alba. Bha na freagairtean aca gu math lapach,
ge-tà, agus a' mhòr-chuid glè ghoirid, gun a bhith ag ràdh mòran a bharrachd
air gun robh ceangal eadar a' Ghàidhlig is Alba a thaobh eachdraidh.

> Oir tha i air a bhith aig daoine airson bliadhnaichean roimhe agus 's e
> pàirt de Alba a th' ann. [...] *Like*, 's e, tha e air a bhith, 's e rudeigin ...
> a bha air a bhith an Alba airson ùine mhòr, agus bu chòir dhi fuireach.
> (Sg-60-AS)

> *Am faod thu a ràdh carson [a tha i cudromach]?*
> Carson, tha ... bha sin, *like*, an *language* aig na Hearadh agus Uibhist,
> *like*, sin an ... *what's language again?*
> *Cànain.*
> Sin an cànan a bha aig Uibhist, nuair a *like*, a thòisich sinn. (Sg-74-AS)

Thàinig e am bàrr tro na h-agallamhan gun robh triùir sgoilearan mì-chinnteach
a thaobh diofar bheachdan air a' Ghàidhlig agus ma h-inbhe ann an diofar
sgìrean de dh'Alba, a' gabhail ris gum biodh cha mhòr na h-aon seasamhan aig
daoine a thaobh na cànain air feadh na h-Alba. Ach, thaisbein triùir sgoilear
eile beagan tuigse air an t-suidheachadh gun robh diofar bheachdan aig diofar
dhaoine ann an Alba air a' Ghàidhlig agus a cuideam, às bith dè na sgìrean san
robh iad stèidhichte.

> Tha mi a' smaointinn gu bheil feadhainn de dhaoine a' smaointinn
> gu bheil e cudromach is feadhainn nach eil a' smaointinn gu bheil e
> cudromach.
> *A bheil beachd agad carson a tha sin?*
> .. Chan eil. .. dìreach daoine nach eil fios aig Gàidhl- .. aig rudan mu
> dheidhinn Gàidhlig, is chan eil iad a' smaointinn gu bheil e cudromach
> oir chan eil fios aca mu dheidhinn .. is na daoine aig a bheil fios, tha mi
> a' smaointinn gu bheil iad a' smaointinn gu bheil e cudromach.
> (Sg-64-AS)

Bha freagairtean na dithis eile gun a bhith cho sgiobalta is soilleir ri sin.

Smaoinich aon sgoilear gun robh beachdan eadar-dhealaichte aig daoine air a' Ghàidhlig, ach ghabh i ris gun robh a' mhòr-chuid de dh'Albannaich taiceil dhi. Cha do smaoinich an dàrna sgoilear ach mun cho-theagsa san robh i fhèin. Thuirt i gun robh barailean air a' Ghàidhlig ceangailte ri planaichean a bh' aig daoine airson obraichean san àm ri teachd: nan robh iad ag iarraidh obraichean anns a' Bheurla seach Gàidhlig, cha bhiodh a' Ghàidhlig cudromach dhaibh an uair sin. Tha seasamh innealach[46] ga shealltainn an seo, .i. chan eil a' chànain cudromach dhaibh ach ma choileanas i feumalachd phragtaigeach, coltach ri inneal,[47] an àite a bhith cudromach innte fhèin, aig ìre nas pearsanta, tro fhaireachdainnean agus tro cheanglaichean ri, mar eisimpleir, cultar agus eachdraidh ionadail.

Dh'innis sianar sgoilear gun robh iad mothachail air seòrsa pàtrain de dhiofar bheachdan air a' Ghàidhlig a rèir sgìrean eadar-dhealaichte ann an Alba:

A bheil sin gu diofar ann an Alba a rèir cà' bheil thu, dè cho cudromach 's a tha a' Ghàidhlig?

Tha, oir, suas an seo, .. air na eileanan, tha e gu math cudromach, ach sìos ann an Dùn Èideann is Glaschu, chan eil daoine a' smaointinn mu dheidhinn, oir tha tòrr Beurla is *Scots* an sin. (Sg-61-AS)

Chan eil mi a' smaointinn gu bheil daoine ann an Glaschu a' smaoineachadh gu bheil i cudromach. Oir tha iad tòrr, tha tòrr .. a' bruidhinn Beurla. Ach tha mi a' smaointinn mar, ann am Barraigh agus Uibhist, tha i cudromach gu iad, oir tha *most of the time*, tha e mar an chiad *language* aca. (Sg-71-AS)

Bha na freagairtean sin reusanta mionaideach agus sheall iad tuigse ann an co-theagsa, glè thric a' gabhail ri suidheachadh na sgìre aca fhèin mar bhonn-stèidh, mar a bhite an dùil.

Tha sinn a' dol a ghluasad air adhart don cheist mu shuidheachadh na Gàidhlig mar mhion-chànain a-nis agus na bhiodh sin a' ciallachadh don chànain. Sheall cairteal de na sgoilearan (10) rud beag tuigse air a' phuing sin, agus iad air mothachadh nach bruidhneadh mòran dhaoine ann an Alba a' Ghàidhlig tuilleadh, ged a bha i air a bhith na mòr-chànain aig aon àm, le gu leòr luchd-bruidhinn aon-chànanaich. Cha do chleachd a' chlann briathran a leithid 'mòr-chànain' no 'mion-chànain', ach rinn iad tuairisgeul air ciall nam

---

46 innealach 'instrumental'.
47 Faic Oliver 2010, Gardner is Lambert 1959 airson fiosrachaidh air beachdan cànanach innealach vs gnèitheach ('intrinsic').

facal agus, mar sin, cha robh e gu diofar leam nach robh am briathrachas aca fhathast, oir bha iad mothachail air an ciall co-dhiù.

> [C]ha bhi mòran … ga bhruidhinn, tha e a' bàsachadh, agus b' àbhaist cha mhòr a h-uile duine an [ainm sgìre] ga bhruidhinn aig aon àm, ach a-nise tha e a' bàsachadh. (Sg-54-AS)

> [C]han eil a' chuid as mò de dhaoine a' bruidhinn e mar an robh … bliadhnaichean air ais, mar nuair a bha an seanair agam òg. Bha tòrr nas mò daoine ga bruidhinn, tha mi a' smaointinn. No an *great-great*-seanair *or something.* (Sg-70-AS)

Ged nach robh briathrachas foirmeil aig a' chloinn a thaobh crìonadh cànain, mion-chànain agus msaa, mhìnich na sgoilearan sin sna facail aca fhèin mar a thuig iad an t-atharrachadh ann an àireamh luchd-bruidhinn na Gàidhlig eadar an latha an-diugh agus dhà no trì ginealaich air ais. Chan eil sin ri ràdh gun robh iad fìor mhionaideach no a' gabhail a-steach co-theagsa na cànain aig diofar amannan san eachdraidh, ach thug iad seachad beachdan ciallach bunaiteach air a' chùis. Thog aon sgoilear às a' bhuidhinn sin a' phuing gun robh i mothachail gun robh daoine ann an Alba a bha an aghaidh na Gàidhlig agus FMG. Ged nach do thuig i carson a bha sin, tha e inntinneach gun do mhothaich i na beachdan sin sa chiad dol-a-mach, oir cha tuirt sgoilear AS eile càil mu dheidhinn na puinge sin sna h-agallamhan.

Cha robh àireamh mhòr de sgoilearan mothachail air diofar bheachdan air a' Ghàidhlig air feadh na h-Alba, ach thuirt còrr is cairteal de na sgoilearan (11) gun robh iad co-dhiù mothachail air àireamh dhiofraichte de luchd-bruidhinn ann an diofar sgìrean na h-Alba.

> Nuair a tha thu a' dol na b' àirde tuath, tha mi a' creids gu bheil barrachd daoine a' bruidhinn Gàidhlig, ach sìos faisg ri Dùn Èideann is Glaschu cha bhi mòran ga bruidhinn idir. (Sg-54-AS)

> Tha mi a' smaoineachadh ann an àiteachan tha daoine, .. a' smaoineachadh gu bheil Gàidhlig cudrom-, .. cudromach, ach … mar ann an … *Edinburgh* agus àiteachan mar sin, chan eil tòrr daoine a' bruidhinn Gàidhlig idir, *so*, tha e dìreach ann na, na h-eileanan is rudan […]. (Sg-53-AS)

Chì sinn sna freagairtean sin gun robh tuigse aig na sgoilearan air diofar ann an àireamh an luchd-bruidhinn eadar sgìrean a leithid na Gàidhealtachd, nan eilean agus sgìrean cathaireil. Cha robh ach dithis am measg nan sgoilearan AS aig an robh ìomhaigh beagan ceàrr air suidheachadh agus luchd-bruidhinn na Gàidhlig, agus iad a' cumail a-mach gun robh i aig a' mhòr-chuid de dh'Albannaich.

Tuigse air adhbhar FMG

Nuair a bhruidhinn mi ri sgoilearan na h-àrd-sgoile, bha na h-aon cheistean fa-near dhomh a thaobh a bhith a' faighinn a-mach dè an seòrsa tuigse a bh' aig na sgoilearan air adhbhar FMG agus air fheum do chlann. Agus, gu dearbh, bha mi air bhioran a bhith a' faicinn dè cho mòr is a bhiodh an diofar eadar freagairtean clann na bun-sgoile agus beachdan clann na h-àrd-sgoile, oir bhithinn an dùil gum biodh sgoilearan AS air smaoineachadh barrachd mun t-seòrsa foghlaim a bha iad a' faighinn agus gum biodh iad a' ceasnachadh cùisean na sgoile is am feum dhaibh fhèin barrachd.

Nuair a dh'fhaighnich mi dhaibh carson a theagaisgeadh sgoiltean tro mheadhan na Gàidhlig, bha fhathast triùir sgoilear gun bheachd sam bith air a' cheist sin no air mar a bhiodh FMG feumail do chlann.

Aig an aon àm, fhreagair còrr is cairteal de na sgoilearan (14) gun robh iad mothachail gun robh a' Ghàidhlig a' crìonadh is gun robh sgoiltean le FMG ceangailte ri iomairt ath-bheothachadh na cànain, gu h-àraidh ann an àiteachan cathaireil, far nach robh mòran luchd-bruidhinn na Gàidhlig sna coimhearsnachdan. Chuir e iongnadh orm faicinn gun robh, air an dàrna làimh, tuigse aig na sgoilearan sin gum b' e aon de na h-adhbharan air an deach FMG a stèidheachadh gun robhar airson a' Ghàidhlig a chumail beò, ach, air an làimh eile, nach do thaisbein gin dhiubh mothachadh gun robh ath-bheothachadh na Gàidhlig gu mòr an urra riutha fhèin mar luchd-bruidhinn na cànain cuideachd.

A bheil beachd agad carson a bhios sgoiltean san fharsaingeachd a' teagasg tro mheadhan na Gàidhlig?
.. Tha mi a' creids gur e dìreach airson cumail Gàidhlig beò. Ma chan eil iad a' toirt Gàidhlig dhuinn, cha chreids mi, cha bhi Gàidhlig againn. Agus mar sin, dìreach bàsaichidh an cànan. (Sg-54-AS)

Airson mar cumail e beò, is rudan. (Sg-46-AS)

Dh'fhaodamaid coimhead air a' chiad eisimpleir mar thoiseach tòiseachaidh fìor bhunaiteach airson tuigse air na feumalachdan a dh'fhaodadh a bhith aca fhèin ann an ath-bheothachadh na Gàidhlig, far an tuirt an sgoilear gum bàsaicheadh a' chànain mura biodh i air a toirt air adhart do na sgoilearan. Chan eil mi cinnteach an do thuig an sgoilear sin dè bhiodh sin a' ciallachadh dhi fhèin, a thaobh, mar eisimpleir, chleachdaidhean cànain, ach tha mi an dùil gun gabhadh coimhead air an ràdh sin mar bhunait bheag do thuigse gum b' urrainn do dhreuchd cudromach a bhith aig na sgoilearan fhèin ann an iomairt an ath-bheothachaidh.

A bharrachd air adhbharan eile, mhìnich dithis sgoilear gun robh FMG ann air sgàth 's gun robh fhathast mòran dhaoine ann an Alba a bhiodh a' cleachdadh na Gàidhlig gu nàdarrach, agus gun robh iad an dùil gum bu chòir do dh'fhoghlam a bhith air a sholarachadh anns gach cànain a bha aithnichte gu h-oifigeil san dùthaich.

> Dìreach airson ... dìreach, tha mi a' smaoineachadh gu bheil e dìreach mar, nuair a dheigheadh tu dhan Fhraing, gum biodh iad a' teagasg tro mheadhan Fraingis! (Sg-49-AS)

Ged a bha an sgoilear seo mothachail nach b' i a' Ghàidhlig an aon chànain Albannach agus nach b' e mòr-chànain a bh' innte, ghabh i ris gum bu chòir do FMG a bhith gnàthach ann an Alba cho fad 's a bha luchd-bruidhinn na Gàidhlig san dùthaich.

Ghabh dithis sgoilear ris gun robh FMG ann gus am biodh a' Ghàidhlig aig barrachd dhaoine agus gus am biodh tuilleadh dhaoine mothachail air a' chànain agus a' nochdadh ùidh innte. Chuir ceathrar sgoilear eile cuideam air a' phuing gun robh a' chànain na pàirt de chultar agus fèin-aithne Albannach, agus gum b' e sin a b' adhbhar gun teagaisgeadh sgoiltean do chlann i.

> *Carson a bhios sgoiltean a' teagasg tro mheadhan na Gàidhlig?*
> .. Dìreach mar, airson gur e mar, 's e rud Albannach a th' ann is, dìreach feumaidh sinn bruidhinn Gàidhlig, agus 's e mar, ... 's e mar an rud againne a th' ann. Is feumaidh a h-uil–, feumaidh sinn mar a' cumail beò e [...]. (Sg-73-AS)

Rinn aon sgoilear iomradh fìor inntinneach air eachdraidh na Gàidhlig agus na Beurla, a' cumail a-mach nach robh e ceart gum bruidhneadh na h-Albannaich cànain a thàinig à dùthaich eile bho thùs, an àite na cànain aca fhèin:

> *Carson a tha thu a' smaoineachadh a tha daoine airson a cumail a' dol [...]?*
> Airson gu bheil .. *language* Albannach. Mar *Wales*. Agus dùthchannan eile. Oir tha sinne a' bruidhinn *language* .. aig dùthaich eile. Agus tha mi a' smaointinn gu bheil feum aig Alba *language* aig iad fhèin. (Sg-71-AS)

Gu ìre, 's e sealladh ideòlach a thig troimhe anns an aithris seo, agus bha an sgoilear a' faireachdainn gun robh FMG na phàirt de dh'ath-bheothachadh le bhith a' toirt na cànain air adhart do bharrachd Albannach.

Bha seallaidhean pragtaigeach aig sgoilearan eile air a' chùis. Thuirt còignear gun robh Gàidhlig ga teagasg ann an sgoiltean gus barrachd chothroman a thoirt don chloinn fhad 's a bha iad fhathast san sgoil (co-fharpaisean, pròiseactan TBh is rèidio, am Mòd) ach, cuideachd, às dèidh dhaibh a fàgail, nuair a choimheadadh iad airson obraichean:

> *A bheil beachd agad carson a bhios sgoiltean a' teagasg tro mheadhan na Gàidhlig?*

Airson ... man toirt rud eile dhut airson ... cleachdadh anns a' bheatha agad, airson tha e a' coimhead math air rud man CV gu bheil dà *languages* agad. (Sg-80-AS)

Bha coltas ann gun deach bruidhinn ri cuid de na sgoilearan air na bhiodh cuideachail air a' chunntas-bheatha aca airson obraichean fhaighinn, agus bha a' chlann às a' bhuidhinn seo air tuigsinn gum biodh a' Ghàidhlig feumail dhaibh an uair sin, an dà chuid mar chànain a bharrachd (dà-chànanas) agus, cuideachd, air sgàth na Gàidhlig gu sònraichte, airson obraichean ceangailte ri Alba is a cànainean.

Thog aon sgoilear am beachd gun robh FMG ann gus an ionnsaicheadh daoine mu dheidhinn na Gàidhlig, ma h-eachdraidh agus a cultar:

Tha mi a' smaoineachdainn gu bheil e gu math math, airson tha iad .. a' teagasg Gàidhlig .. fhathast agus .. bidh daoine eile a' faighinn ... mòr .. fiosrachadh mu dheidhinn Gàidhlig agus an eachdraidh mu dheidhinn e [...]. (Sg-63-AS)

Cha robh e soilleir an seo an robh i a' ciallachadh gun ionnsaicheadh a' chlann fhèin mu dheidhinn sin san sgoil no an robh i a' smaoineachadhi na b' fharsainge, .i. gun togadh daoine a bharrachd air sgoilearan FMG fiosrachadh mun Ghàidhlig tromhpa-san.

Chunnaic deichnear sgoilear buannachdan ionnsachaidh ann am FMG. Dh'ainmich cuid dà-chànanas agus buannachdan don inntinn na lùib, agus rinn cuid eile iomradh air a' bheachd gun cuidicheadh e iad ann a bhith a' togail chànainean eile nan robh dà chànain aca mar-thà.

['S] e cànan eile a th' ann, tha e math, airson .. tha daoine le dà chànan nas fheàrr .. ag ionnsachadh nas fheàrr, tha mi a' smaointinn, na daoine a tha dìreach aon .. aig a bheil, aig, aon cànan aca. (Sg-64-AS)

Oir tha e gad dhèanamh .. *sort of more intelligent*, oir, ma tha an eanchainn agad ag obair air dà cànan, bidh e nas fhasa a' dèanamh rudan eile tro dà cànan, mar *science*, is eachdraidh, is *maths*, rudan mar sin. (Sg-61-AS)

Uill, tha e math a bhith fios agad air an Gàidhlig, agus tha e a' cuideachadh thu le do 'g ionnsachadh cànanan eile cuideachd. Tha e a' dèanamh e nas furasta. (Sg-67-AS)

Sheall na sgoilearan sin tuigse adhartach air a' chùis, ged nach robh mòran doimhneachd sna freagairtean aca. Dh'fhàs e follaiseach gun robh iad air cluinntinn mu bhuannachdan an lùib foghlaim dhà-chànanaich agus gun do chuimhnich iad air pàirt de na beachdan sin.

Dh'aithris sgoilear eile gun robh dà-chànanas cudromach bho thaobh seallaidh chultaraich, agus gun robh e math don chloinn cànain a bharrachd air a' Bheurla ionnsachadh, agus cànain a bha ceangailte ris a' chultar aca fhèin:

> *A bheil beachd agad carson a bhios sgoiltean san fharsaingeachd a' teagasg tro mheadhan na Gàidhlig?*
> Uill, bidh e .. cumail beò .. is tha e math airson clann a bhith ag ionnsachadh, chan e dìreach can Beurla, ach can, ... can, ceangailte ris a' chultar aca, *like*, cànan eile. (Sg-60-AS)

A bharrachd air na puingean ceangailte ri dà-chànanas a chaidh a thogail gu ruige seo, thuirt aon sgoilear gun robh i toilichte gun d' fhuair i a' Ghàidhlig tro FMG bho aois glè òg, air sgàth 's gun robh i an dùil gun robh e fada na b' fhasa cànain ùr ionnsachadh aig an aois sin na bhiodh e aig aois inbheach:

> [T]ha mi a' smaointinn gu bheil, nuair a thu sa bhun-sgoil, tha iad a' dèanamh e, dèanamh Gàidhlig airson 's urrainn dhut mar *learn*adh nuair a tha thu beag na, mar, *easier* ma tha thu .. *older, so*. (Sg-65-AS)

Bhruidhinn an tè sin mu thogail na Gàidhlig mar gun robh e follaiseach gun ionnsaicheadh a h-uile duine i aig aon àm nam beatha co-dhiù, agus gun robh i fhèin toilichte a bhith air a h-ionnsachadh aig ìre cho tràth is nach b' e oidhirp ro mhòr a bh' ann.

Feum na Gàidhlig

Nuair a chuir mi ceistean air sgoilearan AS gus obrachadh a-mach dè am feum a bha iad a' faicinn anns a' Ghàidhlig (aig an àm sin fhèin agus san àm ri teachd) lean mi an aon dòigh obrach a mhìnich mi na bu tràithe, ceangailte ri beachdan sgoilearan BS. A dh'aindeoin 's gun robh clann AS beagan na bu shine agus 's math dh'fhaodte na bu chomasaiche air smuaintean eas-cruthach ceangailte ri taghaidhean is feumalachdan cànain san àm ri teachd, bha mi fhathast an dùil gum biodh e na b' fhasa dhaibh smaoineachadh air inbhich san fharsaingeachd, no feadhainn shònraichte air an robh iad eòlach, seach man deidhinn fhèin, nuair a bhiodh iadsan nan inbhich. Mar sin, thòisich mi a-rithist leis a' cheist an robh iad an dùil gun robh a' Ghàidhlig feumail dhaibh agus, an uair sin, dh'iarr mi beachdan bhuapa air adhbharan air am biodh inbhich ag ionnsachadh na Gàidhlig agus dè am feum a dhèanadh a' chànain dhaibhsan.

Bha ceathrar sgoilear den bheachd gun robh a' Ghàidhlig feumail mar sgil a bharrachd, air sgàth chothroman matha nach fhaigheadh iad às a h-aonais, an dà chuid cothroman san àrainneachd aca fhèin agus feadhainn san àm ri teachd:

> [M]a tha, tha mi .. mar ... ma tha e agam airson nuair a tha mi .. *older*, nuair a tha mi seann, bidh e a' cuideachadh mi, agus tha e, oir a-nis, chan eil tòrr daoine Gàidhlig ann .. ach ... tha mi a' smaointinn gu bheil feum agam

air Gàidhlig, oir tha, tha e math dhut a bhith, agus tha e a' cuideachadh thu agus tha tòrr *chance* agad, nuair a tha thu, Gàidhlig agad. (Sg-44-AS)

Tha e math a bhith mar, ... *talent* eile, a bhith a' bruidhinn ann an .. Gàidhlig, agus ... *yeah,* tha e math. (Sg-70-AS)

Thuig na sgoilearan sin gun robh feum air choreigin gu bhith aig a' Ghàidhlig dhaibh, aig ìre phragtaigeach. Thog dithis sgoilear eile puing phragtaigeach a bharrachd, mun Ghàidhlig mar chànain conaltraidh. Thuirt tè gun robh a' Ghàidhlig aig amannan riatanach mar chànain conaltraidh, oir bha i an dùil gun robh gu leòr dhaoine fhathast ann an cuid de sgìrean an Alba aig nach robh mòran Beurla, is gum feumte a' Ghàidhlig a chumail riutha an sin.

Tha e mar ... dh'fhaodadh mi a' bruidhinn Gàidhlig gu daoine eile, mar daoine sean, mar aig a' dhachaigh .. uaireannan bidh na, mar daoine sean, cha bhi iad a' bruidhinn mòran Beurla, is mar nach robh Gàidhlig agam, chan urrainn dhomh bruidhinn ri na daoine sin, ach ... airson tha Gàidhlig agam, 's urrainn dhomh mar bruidhinn ri daoine eile, is mar daoine eile bho àiteachan diofraichte. (Sg-73-AS)

Chaidh an dàrna tè ann an comhair beagan eadar-dhealaichte, agus i a' cumail a-mach gum biodh a' Ghàidhlig feumail dhi nuair a bhiodh i thall thairis, mar eisimpleir, ann an Canada:

[T]ha e math, man a' faighinn .. *language* eile airson bruidhinn gu daoine airson tha daoine man anns àite Canada, tha Gàidhlig agus *French* aca is chan eil mi math air *French,* ach tha mi gu math air an Gàidhlig [...]. (Sg-80-AS)

Gu follaiseach, bha i air a chluinntinn gun robh luchd-bruidhinn na Gàidhlig ann an Canada, ach thuig i an aithris sin ann an dòigh ro làidir: bha i a' creidsinn gun tigeadh i air adhart ann an Canada leis a' Ghàidhlig, far nach robh a' Bheurla aig daoine (.i. bha i a' gabhail ris gun robh a' Bheurla, an Fhraingis agus a' Ghàidhlig aig an aon ìre, mar chànainean cumanta conaltraidh an sin).

Ann an còmhradh mu dheidhinn feum na Gàidhlig mar a chitheadh a' chlann e, rinn triùir iomradh air cho feumail is a bha a' Ghàidhlig mar chànain dhìomhair a dh'fhaodadh iad a chleachdadh nuair nach robh iad ag iarraidh gun tuigeadh daoine timcheall orra iad.

Airson an aon rud .. nach eil thu ag iarraidh cuideigin nach eil a' bruidhinn Gàidhlig a' cluinntinn dè tha mi, dè tha thu a' bruidhinn mu dheidhinn, 's urrainn dhut dìreach a' bruidhinn ann an Gàidhlig mu dheidhinn rudeigin. (Sg-71-AS)

Dè tha sònraichte math ma deidhinn?
.. Uill, nuair a tha thu a' bruidhinn Gàidhlig ri do charaidean, chan eil
fios aig daoine dè tha thu ag ràdh agus tha sin math. (Sg-42-AS)

Mhìnich ochdnar sgoilear gum biodh a' Ghàidhlig feumail dhaibh san àm
ri teachd, às dèidh dhaibh an sgoil agus 's math dh'fhaodte an t-oilthigh
fhàgail, nuair a bhiodh iad a' coimhead airson obraichean. Thuirt iad gun
dèanadh e feum air a' chunntas-bheatha aca gun robh iad dà-chànanach san
fharsaingeachd; agus ann an obraichean ceangailte gu dìreach ris a' Ghàidhlig,
mar eisimpleir ann an teagasg no sna meadhanan, bhiodh e fiù 's riatanach gun
robh iad fileanta innte.

A bheil thu a' smaoineachadh gum bi i feumail dhutsa?
Yeah bithidh, oir 's dòcha gu bheil mi, 's dòcha gun robh ag iarraidh
mar, ag obair ann an BBC Alba no mar air TBh Gàidhlig no air rèidio
Gàidhlig no rudeigin. (Sg-57-AS)

Uill, nuair a bha mi nas … coimhead airson mar obair, nuair a tha mi
nas sine, bidh e nas fhurasta fhaighinn obair ma tha Gàidhlig agad.
(Sg-52-AS)

Tha sinn air iomadh beachd ciallach fhaicinn ceangailte ri feum na Gàidhlig gu
ruige seo, ach bhruidhinn mi cuideachd ri triùir sgoilear aig nach robh beachd
sam bith air mar a dh'fhaodadh a' Ghàidhlig a bhith feumail dhaibh, agus thuirt
aon sgoilear eile nach fhaca i feum sam bith ann an ionnsachadh na Gàidhlig
agus dà-chànanas san fharsaingeachd.

Chuala mi diofar bharailean bhon chloinn nuair a dh'fhaighnich mi dhaibh
ciamar a bhiodh a' Ghàidhlig feumail do dh'inbhich agus dè na h-adhbharan
a dh'fhaodadh a bhith aca gus a' chànain ionnsachadh sa chiad dol-a-mach.
Thuirt sianar gun do smaoinich iad gun ionnsaicheadh inbhich a' Ghàidhlig
gus am b' urrainn dhaibh a bruidhinn ri daoine ann an Alba aig an robh a'
chànain (an càirdean nam measg, do chuid), mar chànain conaltraidh agus,
a bharrachd air sin, a bhith ag ionnsachadh beagan mun chànain fhèin, mar
phàirt de chultar Albannach.

Uill, 's dòcha gun do ghluais iad an seo às dèidh gun robh iad clann ann
an àiteachan eile, agus tha iad ag iarraidh .. an cothrom, oir 's e an …
pàirt den chultar. (Sg-50-AS)

[M]a tha thu a' gluasad seo, airson na daoine mar ionadail, […] bidh
iadsan mar a' *like*adh thu barrachd ma tha thu … dìreach … fheuchainn

ag ionnsachadh Gàidhlig. Chan eil e gu diofar mar nach eil thu cho math, ach ma tha thu ga fheuchainn. (Sg-57-AS)

Cha do smaoinich ach triùir gun ionnsaicheadh inbhich a' Ghàidhlig air adhbharan ath-bheothachadh cànain. Cha robh na freagairtean sin leudaichte, ged a dh'fhàs e follaiseach gun do thuig a' chlann gun robh a' Ghàidhlig feumach air barrachd luchd-bruidhinn. Sna beachdan às a' bhuidhinn seo cha do smaoinich a' chlann buileach mun fheum a dhèanadh a' Ghàidhlig do dh'inbhich ach an rathad eile: dè am feum a dhèanadh e don Ghàidhlig nam biodh barrachd inbheach ga h-ionnsachadh.

A rèir ceathrar sgoilear eile, dhèanadh inbhich oidhirp gus Gàidhlig a thogail, air sgàth 's gun robh iad airson cànain ùr ionnsachadh, gun chuideam sònraichte air dè a' chànain a bhiodh an sin:

[B]idh *tòrr inbheach cuideachd ag ionnsachadh Gàidhlig. A bheil beachd agad carson a tha sin?*
.. Uill, chan eil *really,* ... airson cànan eile a bhith aca. Chan eil *really* fhios 'am air càil eile. (Sg-72-AS)

Airson, tha e math airson bruidhinn barrachd na aon *language,* cànan. (Sg-55-AS)

Cha robh na sgoilearan sin glè chinnteach às na freagairtean, b' e an aon adhbhar air am b' urrainn dhaibh smaoineachadh gun iarradh inbhich comasan ann an còrr is aon chànain, agus thuirt aon tè cuideachd gur dòcha gun robh ùidh aca sa Ghàidhlig fhèin aig an aon àm.

Dh'fheuch triùir cloinne ri chur an cèill gur dòcha gun robh ceangal ris a' Ghàidhlig air a bhith ann an teaghlach an luchd-ionnsachaidh agus gun robh iad airson a togail air sgàth 's gum b' àbhaist dhi a bhith na pàirt den teaghlach aca nuair a bha an cuid shinnsearan beò. Rinn tè iomradh air a' bheachd gur math dh'fhaodte gun do thog iad rud beag Gàidhlig tron teaghlach nuair a bha iad òg, ach gun do chaill iad a-rithist i.[48] Seaghaichidh na beachdan sin gun do smaoinich na sgoilearan mun chànain mar phàirt de dh'fhèin-aithne, ceangailte ri eachdraidh phearsanta, ach feumaidh mi aideachadh nach robh aithrisean nan sgoilearan mionaideach is ciallach gu leòr airson a bhith cinnteach gun do smaoinich iad cho fada air adhart ri sin:

[B]idh *tòrr inbheach cuideachd ag ionnsachadh Gàidhlig agus, uill, daoine nach robh anns an sgoil, leis a' Ghàidhlig. A bheil beachd agad carson a tha sin?*

---

48 'luchd-bruidhinn dualchasach', cf. Armstrong 2013, Polinsky is Kagan 2007, Fishman 2001.

Carson a bha *like...?*
Daoine nas sine airson Gàidhlig ionnsachadh cuideachd?
.. Carson ... bha na pàrantan agad *like* a' bruidhinn ... no ... rudeigin.
(Sg-74-AS)

Agus, tha fhios agad, bidh tòrr inbheach cuideachd ag ionnsachadh Gàidhlig.
A bheil beachd agad carson a tha sin?
Airson dh'fhaodadh gun robh na pàrantan aca is ag ràdh no mar
grandparents no rudeigin, is bidh iad ag iarraidh ga bhruidhinn.
(Sg-46-AS)

B' e a' chiad bheachd a thàinig a-steach air còignear sgoilear gun ionnsaicheadh
inbhich a' Ghàidhlig a chionn 's gun robh clann aca ann am FMG agus, mar
sin, gum biodh iad airson a bhith comasach air an cuideachadh le obair na
sgoile. Glè thric thog iad na barailean sin tron eòlas phearsanta aca fhèin, agus
iad air faicinn gun do rinn an cuid phàrant cùrsa Gàidhlig air na h-adhbharan
sin.

Tha mi a' smaoineachadh gur e .. airson tha *like* ... clann aca, [...] agus
bidh iad ag iarraidh cuideachadh, ach chan eil fhios aca ciamar a tha
thu a dhèanamh. *So*, bidh iad a' dèanamh, .. dh'ionnsaich a' Ghàidhlig.
(Sg-62-AS)

[T]ha clann aca a tha a' dol dhan sgoil is tha iad ag iarraidh ionnsachadh
Gàidhlig, 's dòcha, airson mar ... faighinn a-mach dè tha an obair
dachaigh no rud sam bith a' ciallachadh. Dìreach airson na clann aca,
really. Agus airson iadsan. (Sg-77-AS)

Chì sinn gun do thog a' chlann sa bhuidhinn seo an cuid bheachdan uile-
gu-lèir às an àrainneachd is às an t-suidheachadh aca fhèin. Cha robh iad air
smaoineachadh na b' fharsainge na crìochan an eòlais aca fhèin: 's e sgoilearan a
bh' annta; mar sin, smaoinich iad mu FMG agus mu thaic do chlann an toiseach,
gun a bhith a' gabhail ceum a bharrachd is a' smaoineachadh air na dòighean
eile anns am b' urrainn do Ghàidhlig a bhith feumail do dh'inbhich, air taobh
a-muigh beatha na sgoile.[49] Chan eil sin ri ràdh nach robh na freagairtean aca
ceart agus ciallach. Mhothaich mi dìreach nach do leudaich a' chlann an cuid
bheachdan gu seallaidhean nach robh ceangailte ri beatha na sgoile.

A' leantainn an aon phàtrain sin, thuirt còignear sgoilear eile gur dòcha gun
ionnsaicheadh inbhich a' Ghàidhlig airson cothroman na b' fheàrr a bhith aca
an lùib obraichean. Tha coltas ann gun deach innse don chloinn sin iomadh
turas gum biodh sgilean anns a' Ghàidhlig feumail dhaibh fhèin airson obair

---

49 Coupland et al. 2005.

fhaighinn san àm ri teachd, agus chleachd iad am fiosrachadh seo gus a' cheist mu fheum na cànain do dh'inbhich a fhreagairt. Air an dòigh sin, chuir iad an sealladh aca fhèin air adhart an àite a bhith a' smaoineachadh gu sònraichte mu bheatha inbheach agus an dreuchd a dh'fhaodadh a bhith aig a' Ghàidhlig innte.

Dh'ainmich aon sgoilear a' Ghàidhlig mar chur-seachad a bharrachd do dh'inbhich mura biodh iad sàsaichte a bhith, mar eisimpleir, a' coimhead TBh. 'S e sealladh gu math pragtaigeach a tha seo, gun doimhneachd sam bith a thaobh na cànain, a h-eachdraidh no a cultair: mar a chuir an sgoilear seo e, cha robh ann an ionnsachadh na Gàidhlig ach cur-seachad, dìreach mar a bhiodh leughadh, cluich ball-coise no fighe:

> [T]ha i cànan math, agus bidh iad a' ... bidh iad ... bidh iad a' faireachdainn math nuair a tha iad ga .. ionnsachadh .. tha e rudeigin eile airson a dhèanamh *instead of like*, dìreach coimhead air an TBh, 's urrainn dhut a bhith a-mach ann am buidhnean, *like* clasaichean a' bruidhinn Gàidhlig no ag ionnsachadh Gàidhlig, aig an oidhche no rudeigin. (Sg-59-AS)

A thuilleadh air na beachdan a chunnaic sinn gu ruige seo, chuir buidheann glè bheag de sgoilearan barailean an cèill a bha beagan cugallach agus cearcallach (mar eisimpleir, freagairtean de leithid gun ionnsaicheadh inbhich a' Ghàidhlig gus am biodh Gàidhlig aca (Sg-70-AS).

SEALLADH INBHEACH AIR TUIGSE NA CLOINNE (AS) AIR A' GHÀIDHLIG

Luchd-teagaisg AS

Mar a rinn mi aig ìre na bun-sgoile, dh'fhaighnich mi do luchd-teagaisg agus pàrantan AS dè cho math is a bha tuigse na cloinne air eachdraidh agus cultar na Gàidhlig nam beachd-san. Ge-tà, tha e cudromach a bhith a' cuimhneachadh an seo nach robh a h-uile neach-teagaisg AS ris an deach bruidhinn an sàs ann an teagasg na Gàidhlig fhèin, ach gun do theagaisg cuid dhiubh cuspairean de leithid saidheans no cruinn-eòlais tron Ghàidhlig. Cha bhite an dùil gum biodh an fheadhainn sin air càil ceangailte ri eachdraidh is cultar na Gàidhlig a theagasg don chloinn (a bharrachd air tidsearan eachdraidh fhèin) agus, a thuilleadh air sin, cha bhiodh eòlas fìor mhionaideach aca air dè an ìre aig an robh tuigse na cloinne.

Thuirt aon neach-teagaisg gun robh i an dùil gun do thuig a' chuid a bu mhotha den chloinn carson a chaidh sgoiltean agus aonadan Gàidhlig a stèidheachadh is gun robh FMG ceangailte ri ath-bheothachadh na cànain. Aig an aon àm, chuir tidsear eile às an aon sgoil an cèill nach do thuig a' chlann gu leòr mu shuidheachadh no eachdraidh na Gàidhlig san fharsaingeachd, agus gu h-àraidh mu na h-adhbharan a bha iad fhèin ann am FMG. Thog neach-teagaisg eile beachd coltach ri sin, agus i ag ràdh nach smaoinicheadh mòran den chloinn na b' fhaide na air taobh a-staigh 'builgean' a' bhaile no na sgoile aca fhèin, agus air mar a bha suidheachadh no feumalachd na Gàidhlig an sin.

Chualas bho aon neach-teagaisg gun robh i an dùil gun robh a' chlann rud beag mothachail air suidheachadh na Gàidhlig, mar eisimpleir, mar a bha àireamhan luchd-bruidhinn na cànain air a dhol sìos. Rinn i iomradh cuideachd air na ceanglaichean pearsanta a bh' aig a' chloinn ris a' chànain, rud air an do chuir iomadh pàiste cuideam nuair a dh'fhaighnich an tidsear dhaibh carson a bha iad air Gàidhlig a thaghadh mar chuspair san àrd-sgoil:[50]

> [T]hug mi dhaibh ceisteachan aig toiseach na bliadhna .. a bha a' cur an dearbh cheist a bha sin. Carson a thagh thu Gàidhlig a dhèanamh anns an treas bliadhna? [...] tha mi a' smaointinn gun tug e orra smaoineachadh, *you know*, dè, carson a tha mi a' dèanamh seo [...], agus a' chuid mhòr, a bu mhotha aca, bha iad ag ràdh, 'Uill, tha mi ga dhèanamh a thaobh .. tha ùidh agam ann, tha Gàidhlig air a bhith anns an teaghlach agam, .. is tha mi airson a chumail a' dol' [...] *So* tha iad, mar gum bitheadh, tha iad mothachail [...]. (NT-12-AS)

Chithear anns an fhreagairt sin, ge-tà, nach robh na sgoilearan glè mhionaideach ann a bhith a' mìneachadh an cuid adhbharan airson Gàidhlig a dhèanamh, agus dh'fheumamaid a bhith mothachail cuideachd gur ann don tidsear Ghàidhlig aca a thug iad seachad na freagairtean, .i. chan urrainnear a bhith cinnteach dè cho fìrinneach is a bha iad uile, oir, is cinnteach gun saoileadh cuid gum faodadh buaidh a bhith air na freagairtean aca air an cuid soirbheis sa chlas. Aig an aon àm, 's e cleas fìor inntinneach is feumail a ghabh an tidsear seo os làimh, le bhith a' ceasnachadh nan sgoilearan mu adhbharan aig bonn an cuid thaghaidhean, oir bidh sin a' toirt air a' chloinn fhèin smaoineachadh a-rithist air carson a thagh iad a' Ghàidhlig. Air an dòigh sin, faodaidh beachdan a thighinn am bàrr nach robh iad fhèin mothachail gun robh iad aca. Bhiodh e fìor fheumail nan leanadh luchd-teagaisg eile cleasan mar sin agus dhèanadh ceisteachain bheaga mar sin bunait glè mhath airson a bhith a' bruidhinn air cuspairean timcheall air seasamhan mu choinneimh na Gàidhlig, feum na cànain agus msaa anns a' chlas fhèin.

Thog aon tidsear a' phuing gur dòcha gum biodh tuigse na bu mhotha aig sgoilearan AS seach sgoilearan BS air inbhe na Gàidhlig agus nach robh i cho cumanta is a bha iad air smaoineachadh gu ruige sin. Dhaingnich i gum biodh clann AS na bu mhothachaile air àrainneachd na b' fharsainge na saoghal beag

---

50 Bha an neach-teagaisg seo a-mach air sgoilearan AS air an treas bliadhna.

na sgoile is gun gabhadh iad barrachd ri deargaidhean air a' chànain bho thaobh a-muigh na sgoile cuideachd.[51]

> Ma tha iad a' dol ann am bun-sgoil far a bheil Gàidhlig gu math làidir, tha iad a' smaoineachadh gu bheil Gàidhlig mar phàirt nàdarrach dhen t-saoghal anns an fharsaingeachd. Nuair a tha iad a' tighinn dhan [àrd-sgoil], tha mi a' smaoineachadh gu bheil iad mothachail nach eil Gàidhlig cho farsaing, nach eil Gàidhlig cho cumanta [...]. (NT-11-AS)

Chuir tidsear eile an cèill gun robh i an dùil gun robh beachd farsaing aig a' chloinn air a' cheangal eadar a' Ghàidhlig is a' choimhearsnachd aca fhèin, ach cha robh i cinnteach mun eòlas aca air, mar eisimpleir, eachdraidh na cànain.

Pàrantan AS (air eòlas na cloinne air eachdraidh is cultar na Gàidhlig)

Cha robh beachd mionaideach aig a' chuid a bu mhotha de phàrantan air dè an ìre de dh'eòlas a bh' aig an cuid cloinne. Thuirt ceathrar gun robh iad an dùil gun robh beagan fiosrachaidh fharsaing aig a' chloinn air ceistean ceangailte ri eachdraidh, cultar agus inbhe na Gàidhlig, ach nach robh iad buileach cinnteach mu dhoimhneachd no tùs an eòlais sin.

> [D]è cho eòlach is a tha a' chlann air, can, cultar, suidheachadh na Gàidhlig san latha an-diugh, eachdraidh na Gàidhlig [...] agus a' Ghàidhealtachd–
> Tha mi smaoineachadh tha eòlas aca air sin, dè cho làidir is a tha e .. ..
> tha an t-eòlas a tha sin, 's e ceist a bhiodh an sin [...]. (P-29-AS)

Bha triùir phàrant eile den bheachd gum biodh tuigse gu ìre aig a' chloinn air adhbharan an cois FMG, suidheachadh na Gàidhlig, ceangal eadar a' Ghàidhlig agus an sgìre aca fhèin agus air dualchainntean eadar-dhealaichte is msaa, ach cha robh iad mionaideach mu dhoimhneachd an eòlais seo na bu mhotha, gu h-àraidh dithis nam measg a chùm na freagairtean aca aig ìre fìor uachdarach.

Thuirt dithis phàrant gun robh iad an dùil gun do thuig a' chlann a' Ghàidhlig agus FMG dìreach mar phàirt ghnàthach dem beatha is nach ceasnaicheadh iad i ann an dòigh sam bith – mar nach ceasnaicheadh iad a' Bheurla nam beatha na bu mhotha, ged a bhiodh feumalachdan eadar-dhealaichte aig gach cànain. Cha do mhìnich aon phàrant às an dithis sin càil a thaobh tuigse na cloinne air eachdraidh na Gàidhlig, ach rinn an tè eile iomradh air an diofar eadar ìomhaigh is inbhe na Gàidhlig agus na Beurla, .i. gun do thuig a clann an diofar eadar mòr-chànain agus mion-chànain, ged nach biodh iad comasach sin a chur an cèill aig ìre eas-cruthach no fheallsanachail (P-24-AS). A bharrachd air sin, bha i cinnteach gun robh tuigse phragtaigeach aig a cuid cloinne air a' Ghàidhlig, a

51 Morrison 2006.

h-eachdraidh agus a suidheachadh, air sgàth 's gun robh a' Ghàidhlig air a bhith na cànain ghnàthach san teaghlach bho rugadh iad agus a chionn 's gun deach an togail leis an dualchas sin.

Thog aon phàrant eile a' phuing gun robh a' chlann aice, na beachd-se, mothachail air iomairt ath-bheothachadh na Gàidhlig, air sgàth 's gum biodh iad a' bruidhinn ma deidhinn aig an taigh, ach cha robh i an dùil gum biodh mòran fios aca air a h-eachdraidh no ceanglaichean eadar a' Ghàidhlig agus diofar sgìrean ann an Alba (P-29-AS).

Mu dheireadh thall, dh'ainmich aon phàrant gu dìreach gun robh i den bheachd nach robh mòran fios aig a' chloinn aicese idir air eachdraidh na Gàidhlig no air ceanglaichean cultarach eadar a' chànain agus an dùthaich:

> [A] bheil sibhse a' smaoineachadh gu bheil beachd aig a' chlann agaibh air rudan mar dè th' anns a' Ghàidhlig, no ciamar a tha a' Ghàidhlig ceangailte ris na h-eileanan, is carson a bhios daoine, gu sònraichte anns na h-eileanan, ga bruidhinn?
> Tha mi a' smaointinn nach eil. Nach eil mòran beachd aca idir. Tha fhios aca .. can nach bruidhinn, gu bheil feadhainn ann nach eil Gàidhlig aca sineach. Tha fhios aca air sin. (P-25-AS)

Ceanglaichean eadar am fios a-steach agus am fios a-mach (tuigse air a' Ghàidhlig)

B' e pàirt mhòr den cheist air 'tuigse air a' Ghàidhlig' a bhith a' faighinn a-mach cò bhiodh a' bruidhinn ris na sgoilearan air eachdraidh/cultar/feum na Gàidhlig agus adhbhar FMG sa chiad dol-a-mach. Bha e na amas dhomh a bhith cho cothromach 's a ghabhas mu choinneimh na cloinne agus, an àite fòcas a chumail air a' phuing nach robh iad a' sealltainn mòran eòlais air cuspairean co-cheangailte ri eachdraidh is cultar na Gàidhlig, bha mi airson obrachadh a-mach cò às a gheibheadh gach sgoilear fios a-steach ceangailte ris na cuspairean sin, air taobh a-muigh agus air taobh a-staigh na sgoile. Nuair a chuir mi a' cheist sin air na sgoilearan aig ìre na bun-sgoile, thuirt còrr is cairteal dhiubh (11) gun togadh iad a' chuid a bu mhotha de dh'fhiosrachadh air eachdraidh is cultar na Gàidhlig san sgoil (cha mhòr an aon àireamh de sgoilearan às gach tè de na còig bun-sgoiltean san rannsachadh). Chuala mi bho chòignear eile gun togadh iad dìreach rud beag mu na cuspairean sin san sgoil, tro phròiseact no dhà. Chuir dithis eile an cèill nach fhaigheadh iad fios a-steach tron sgoil idir, agus thuirt ceathrar nach fhaigheadh iad fios a-steach sam bith air eachdraidh is cultar – san sgoil no aig an taigh.

Chùm triùir sgoilear a-mach gun cluinneadh iad mu na cuspairean sin san sgoil agus aig an taigh (leth is leth), agus thuirt triùir eile gum faigheadh iad fios a-steach tro na coimhearsnachdan aca. Chuala mi bho thriùir sgoilear eile gun cluinneadh iadsan a' mhòr-chuid den fhios a-steach air na cuspairean sin aig an taigh, bho na pàrantan aca air neo bho chàirdean eile. Thuirt naoinear cloinne gum faigheadh iad rud beag cùl-fhiosrachaidh air eachdraidh is cultar na Gàidhlig tron dachaigh (pàrantan: 5, seann-phàrantan: 4). Dh'ainmich aon sgoilear na meadhanan mar am prìomh fhios a-steach a gheibheadh i air na cuspairean sin.

Bhruidhinn mi ris an luchd-teagaisg air an aon cheist, agus bha dithis den bheachd gum faigheadh a' chlann fiosrachadh eachdraidheil is cultarach ceangailte ris a' Ghàidhlig tro chàirdean is pàrantan aig an taigh (far an robh clann à dachaighean le Gàidhlig). Chùm ceathrar a-mach gun ionnsaicheadh a' chlann rud beag mu dheidhinn sin san sgoil, ged a dh'aidich iad nach b' e mòran a bh' ann.

> [R]inn sinne, .. fiosrachadh mu dheidhinn .. ... duilich .. chaill mi an fhacal, dìreach mionaid *(a' coimhead air leabhar)* ... na Fuadaichean! *So,* anns a' chlas seo, rinn sinn rudeigin mu dheidhinn Fuadach nan Gàidheal, na Fuadaichean, agus lorg iad a-mach mu dheidhinn an àite seo [...] agus bha sin math dhaibh! A' coimhead air an àite aca fhèin, [...] cuin a bha daoine a' fuireach ann agus carson a dh'fhalbh iad. Ach chan fhaigh iad sin gach bliadhna. .. 'S dòcha gum faigh iad sin aon turas, fhad 's a tha iad a' dol tron bun-sgoil. (NT-7-BS)

A rèir choltais, cha dèan a' chlann ach pròiseact no dhà sna bliadhnaichean BS gu lèir, agus tha e an crochadh air an neach-teagaisg dè cho mionaideach is a nì iad sin agus an tèid ceanglaichean a thogail ri eachdraidh ionadail.

Am measg nam pàrant, thuirt seachdnar gun robh iad an dùil gum faigheadh a' chlann rud beag cùl-fhiosrachaidh air a' Ghàidhlig aig an taigh agus san sgoil. Bha pàrant eile beagan mì-chinnteach mu fhios a-steach tron sgoil, ach bhruidhneadh i fhèin ris a' chloinn air cuspairean cultarach.

Bha ceathrar phàrant eile den bheachd nach fhaigheadh a' chlann ach rud beag fios a-steach air cuspairean ceangailte ri eachdraidh is cultar na Gàidhlig san sgoil, agus cha robh iad a' faireachdainn gun robh sin gu leòr.

A-nis, cuiridh mi aithrisean na cloinne air eachdraidh is cultar na Gàidhlig ris an fhiosrachadh a fhuair sinn an seo mun fhios a-steach air na cuspairean sin. Air an dòigh sin, gheibh sinn a-mach a bheil ceanglaichean gan sealltainn eadar am fios a-steach mar a dh'ainmich na h-agallaichean e agus am fios a-mach, 's e sin freagairtean na cloinne air a' chuspair.

Am measg na triùir sgoilear aig nach robh fios no tuigse sam bith air eachdraidh na Gàidhlig, dh'aithris aonan gun cluinneadh i rud beag ma dheidhinn bho chàirdean, agus thuirt tè eile gum faigheadh i beagan fios tron dachaigh (a h-athair) agus rud beag tron sgoil.

Bha aon sgoilear a-mach air beachdan bunaiteach ceangailte ri dà-chànanas, agus mar a bha e nàdarrach do dh'Alba an dà chuid a' Ghàidhlig agus a' Bheurla a chleachdadh. Cha robh an tè sin den bheachd gun d' fhuair i fios a-steach sam bith bhon sgoil air na puingean sin, ach gum faigheadh i gu leòr tron taigh.

Cha robh ceanglaichean ciallach gan sealltainn sa bhuidhinn far an robh seachdnar air tuigse a thaisbeanadh gun robh a' Ghàidhlig ceangailte ri Alba agus a dualchas. Thàinig a' chlann sin à suidheachaidhean glè eadar-dhealaichte a thaobh fios a-steach.

Sheall aon tè beagan eòlais air eachdraidh chànanach na Gàidhlig agus a ceangal ri Gàidhlig na h-Èireann. Thuirt an sgoilear sin nach fhaigheadh i fiosrachadh mar sin bhon sgoil idir, ach gum bruidhneadh a màthair rithe ma dheidhinn aig amannan.

Am measg a' chòigneir sgoilear a bha air beachdan is ìomhaighean mun Ghàidhlig a thogail gu ceàrr no gun mhòran susbaint, thuirt triùir gun d' fhuair iad a' mhòr-chuid de dh'fhios a-steach eachdraidheil is cultarach (2) no co-dhiù beagan dheth (1) san sgoil, is dh'aithris dithis eile gum faigheadh iad rud beag aig an taigh, agus nach do dh'ionnsaich iad mòran san sgoil ma dheidhinn.

Cha robh ceanglaichean glè shoilleir gan sealltainn eadar beachdan is eòlas na cloinne agus am fios a-steach eachdraidheil is cultarach mar a bha iad fhèin mothachail air. Chaidh daingneachadh, ge-tà, nach bi na sgoiltean a' teagasg mòran mu eachdraidh na Gàidhlig agus a cultar agus, mar sin, chan eil e iongantach nach robh fiù 's fios bunaiteach aig a' mhòr-chuid den chloinn mu eachdraidh no suidheachadh na Gàidhlig, ged a dh'ainmich cuid beachd no dhà eu-coileanta (pìosan fiosrachaidh) nach robh ceàrr. Bha e follaiseach gum biodh iad feumach air barrachd mìneachaidh agus air fios a-steach na bu doimhne na fhuair iad gu ruige sin airson na puingean sin a thuigsinn.

Cha robh coltas ann gun cluinneadh na sgoilearan mòran mu na cuspairean sin aig an taigh na bu mhotha, ged a bha buidheann bheag de sgoilearan ann far am faca sinn ceangal eadar am fios a-steach bhon taigh agus na beachdan aca. San fharsaingeachd, tha e coltach nach fhaigh a' chlann gu leòr fios a-steach air cuspairean eachdraidheil is cultarach ceangailte ris a' Ghàidhlig, aon chuid san sgoil no aig an taigh, gus tuigse bhunaiteach a bhith aca air eachdraidh, suidheachadh agus cultar na Gàidhlig. Ge-tà, bhiodh an dearbh thuigse cho feumail dhaibh gus faighinn a-mach mu na freumhaichean aca fhèin agus freumhaichean cànain an t-sluaigh is na dùthcha fhèin agus, an uair sin, bhiodh e na b' fhasa dhaibh tighinn gu co-dhùnaidhean mu dhreuchd na Gàidhlig nam beatha fhèin – air taobh a-muigh agus air taobh a-staigh na sgoile – agus ma dreuchd ann an Alba agus na beatha chultarach san latha an-diugh.

Tha sinn a' tionndadh a-nis gu sgoilearan aig ìre na h-àrd-sgoile, gus feuchainn ris na h-aon phuingean agus ceanglaichean obrachadh a-mach ris an do dhèilig sinn aig ìre na bun-sgoile mar-thà. An toiseach, bheir mi sùil air an fhios a-steach fhèin, a' sealltainn cò bhruidhneadh ris a' chloinn air cuspairean eachdraidheil is cultarach. An uair sin, thèid an ceangal eadar am fiosrachadh sin agus fios a-mach na cloinne a sgrùdadh.

Thuirt faisg air an dàrna leth de na sgoilearan (17) gum biodh iad a' togail na mòr-chuid de dh'fhiosrachadh mu eachdraidh is cultar na Gàidhlig san sgoil, agus chuir còignear eile an cèill gun ionnsaicheadh iad rud beag mu na cuspairean sin san sgoil, ach nach b' e mòran a bh' ann idir:

> Chan eil sinn *really*, uill, ann an eachdraidh, chan eil sinn *really* a' bruidhinn mu dheidhinn an eachdraidh aig Gàidhlig. Tha sinn a' bruidhinn mu dheidhinn mar an dàrna cogadh agus rudan mar sin. Chan eil sinn *really* a' bruidhinn mu dheidhinn *actual* .. cànan [...].
> (Sg-57-AS)

Dh'aithris naoinear sgoilear gun d' fhuair iad fiosrachadh cultarach is eachdraidheil 50–50 bhon sgoil agus bhon dachaigh aca (.i. bho phàrantan no seann-phàrantan). Cha do dh'ainmich ach triùir cloinne a' choimhearsnachd aca mar thùs fiosrachaidh air na cuspairean sin.

Thuirt triùir sgoilear nach fhaigheadh iad fios a-steach sam bith, san sgoil no aig an taigh, agus mhìnich sgoilear eile gun robh i air ionnsachadh mu na cuspairean sin sa bhun-sgoil, ach nach robh i air càil a thogail san àrd-sgoil, a thaobh eachdraidh is cultar na Gàidhlig.

Cha chuala mi ach bho thriùir sgoilear gum faigheadh iad a' chuid a bu mhotha den fhios a-steach sin bhon dachaigh (pàrantan no càirdean), agus thuirt ochdnar eile gun cluinneadh iad rud beag mu eachdraidh is cultar na Gàidhlig aig an taigh. Dh'ainmich ceathrar sgoilear na meadhanan mar fhios a-steach.

Airson barrachd fiosrachaidh fhaighinn air dè ann an da-rìribh a bhiodh a' chlann ag ionnsachadh san sgoil a thaobh eachdraidh is cultar na Gàidhlig (a dh'aindeoin is nach biodh a h-uile sgoilear mothachail air sin no a' cuimhneachadh air), bhruidhinn mi ris an luchd-teagaisg agus ris na pàrantan cuideachd. Thuirt ceathrar luchd-teagaisg gun dèanadh iad cinnteach gum faigheadh a' chlann rud beag fiosrachaidh air eachdraidh is cultar na Gàidhlig:

Bidh mise a' cur rudan mar sin ann. .. Uill, bidh mi a' feuchainn co-dhiù
[...], bha sinn a' dèanamh co-cheangal le cò às a thàinig a' Ghàidhlig,
pròiseact mòr, agus rinn sin tòrr feum dhaibh [...]. (NT-13-AS)

Aig an aon àm, mhìnich dithis luchd-teagaisg eile nach fhaigheadh a' chlann
fios a-steach gu leòr tron sgoil is gum bu chòir barrachd chothroman a bhith
ann gus cur ris na cuspairean is an tuigse sin. Ge-tà, thog aon tè a' phuing
gun robh e aig amannan fìor dhuilich cuspairean no pròiseactan ceangailte ri
eachdraidh is cultar fhighe a-steach don teagasg, air sgàth 's gun robh a' chlann
fhathast a' strì leis na sgilean cànanach aca. A rèir an tidseir seo, b' e bacadh
mòr a bh' anns na laigsean cànanach a chitheadh i am measg nan sgoilearan;
bha i an dùil nach gabhadh cuspairean sònraichte togail sa chlas Ghàidhlig gu
domhainn mura robh comasan Gàidhlig na cloinne aig ìre is gum faigheadh
iad rudeigin a-mach à eileamaidean teagaisg ceangailte ri eachdraidh is cultar
na Gàidhlig:

> Ach an rud a tha mise air a bhith a' faicinn o chionn grunn bliadhnaichean
> a-nis, 's e gu bheil [...] na sgilean bunaiteach aca cho truagh, agus gu
> math tric, cha tig agad air na rudan sin [.i. cuspairean eachdraidheil
> is cultarach] a dhèanamh [...]. Nam bitheadh an cànan aca aig ìre ...
> tuigse mhath, bhiodh e cho furasta na rudan sin a chleachdadh airson an
> cànan aca a dhèanamh nas làidire agus nas fheàrr. Ach tha mise a' faicinn
> dìreach na laigsean a tha nan cànan, gu bheil e na chnap-starradh mòr,
> mòr [...]. (NT-12-AS)

Thuirt aon neach-teagaisg gum faigheadh na sgoilearan beagan fios a-steach
air eachdraidh (ionadail) ceangailte ris a' Ghàidhlig sna clasaichean eachdraidh
mar chuspair, ach nach robh i mothachail air fios a-steach a bharrachd air sin.
Chuala mi bho thidsear eile gun robh i an dùil gun dèanadh gach sgoil le
Gàidhlig oidhirp gus fiosrachadh cultarach agus eachdraidheil (gu h-ionadail)
fhighe a-steach don teagasg, oir b' e sin na dhèanadh i fhèin. Choimhead i air
na cuspairean sin mar phàirt air leth cudromach den teagasg.

Nuair a bhruidhinn mi ris na pàrantan air an aon cheist, thuirt deichnear
gun robh iad an dùil gun ionnsaicheadh a' chlann rud beag mu dheidhinn
eachdraidh is cultar na Gàidhlig san sgoil, gun a bhith cinnteach dè cho
cunbhalach no domhainn is a bhiodh am fiosrachadh sin.

> [A]n-dràsta is a-rithist, bidh iad a' dèanamh *project* agus anns a', anns an
> àrd-sgoil, [...] bidh iad a' dèanamh .. sgeulachdan, no, mun a' ... faighinn
> a-mach mun sgrìobhadair cò às a bha e agus carson a sgrìobh e an t-òran.
> Agus rudan mar sin. (P-31-AS)

Thog aon phàrant a' phuing gun robh i an dùil gun dèanadh a' chlann gu leòr san sgoil, ach cha robh i sàsaichte leis na dòighean anns an deach cuspairean cultarach a thogail ann. Na beachd-se, rachadh cus stuthan is chuspairean seann-fhasanta a chleachdadh, agus bha i draghail gun cailleadh a' chlann ùidh mura robh càil ann a bha na bu cheangailte ri co-theagsa na Gàidhlig san latha an-diugh (P-28-AS). Bha ceathrar den bheachd nach do thathainn an sgoil fios a-steach eachdraidheil is cultarach ceangailte ris a' Ghàidhlig no fiù 's ceangailte ri Alba idir, air neo dìreach glè bheag dheth:

> *I don't think they get it in school at all.* (P-27-AS)

> Ach san àrd-sgoil .., cha chanainn-sa gum biodh càil, biod dhe na stuthan [.i. ceòl, cultar, eachdraidh] a tha iad a' dèanamh sònraichte .. ach ann an cuspair ... a' Ghàidhlig fhèin. [...] Chan eil mi a' smaoineachadh fiù 's gu bheil Eachdraidh, ... cuspair na h-eachdraidh, tha mi a' smaoineachadh gu bheil sin stèidhichte air eachdraidh Bhreatainn. [...] Na cogaidhean, a' chiad chogadh gu h-àraidh, agus 's e ... tro shùilean Bhreatainn .. eachdraidh Bhreatainn. (P-24-AS)

> Chan eil fhios 'am gu bheil an sgoil a' dèanamh mòran mu dheidhinn, [...] gu follaiseach tha iad ag ionnsachadh eachdraidh gu ìre, .. ach tha iad a' dèanamh, chan eil fhios 'am gu bheil iad a' faighinn gu leòr eachdraidh mun dùthaich seo. (P-18-AS)

Cha robh na pàrantan sin sàsaichte leis an ìre de dh'fhiosrachadh a fhuair a' chlann san sgoil; bha iad a' faireachdainn nach robh an teagasg a' gabhail a-steach chuspairean cudromach is buntainneach do dhualchas na dùthcha.[52]

A thaobh fios a-steach bhon taigh, thuirt còignear phàrant gum bruidhneadh iad gu tric mu eachdraidh is cultar na Gàidhlig san teaghlach; dh'aithris ceathrar eile gun cumadh iad rud beag còmhraidh rin cuid cloinne air na cuspairean sin, ach dh'aidich triùir nach cluinneadh a' chlann mòran man deidhinn idir aig an taigh. Thuirt aon phàrant nach bruidhneadh iad mu chuspairean de leithid san dachaigh uair sam bith.

Thog aon tè puing fìor inntinneach an lùib a' chuspair sin, a' cur an cèill amharas nach fhaigheadh a' chlann fiosrachadh cultarach gu leòr anns a' Ghàidhlig no anns a' Bheurla san sgoil a-nis, agus gun robh nàdar de dhì-chultarachadh a' dol air adhart:

> *So* ma tha thu a' bruidhinn air, [...], a bheil iad a' faighinn gu leòr a-mach às an sgoil mu dheidhinn eachdraidh na Gàidhlig agus a h-uile càil, chan eil mi buileach a' tuigsinn a' cheist a tha sin, a chionn, dh'fheumadh tu

---

52 Faic Scottish Government et al. 2010a is 2010b.

faighneachd a bheil clann ... Bheurla ann an Alba, a tha a' fàs suas ann an Alba, a bheil iad gan ceangal gu leòr tron churraicealam ris na sgìrean sa bheil iad fhèin a' fàs suas, air neo, a bheil an rud seo cho farsaing agus gu bheil dì-chultarachadh a' dol dhan a h-uile duine-cloinne an-diugh, eadar Gàidhlig agus Beurla. (P-24-AS)

A rèir a' bheachd a chaidh a thogail an sin, bhiodh e fìor do chlann ann am FMB cuideachd nach fhaigheadh iad gu leòr fios a-steach cultarach a bha gan ceangal ris an dualchas aca fhèin.[53]

Gluaisidh sinn a-nis air adhart do na ceanglaichean eadar am fios a-steach a fhuair a' chlann tron sgoil is tron taigh agus am fios a-mach bhuapa a thaobh eachdraidh is cultar na Gàidhlig, mar a bha iad gan sealltainn. Thèid beachdan na cloinne air a' chuspair a chur ri tùsan fiosrachaidh às am faigheadh iad an cuid fios a-steach (sgoil, teaghlach, càirdean, caraidean agus msaa). Feumaidh mi aideachadh, ge-tà, gun robh e doirbh ceanglaichean a stèidheachadh le cinnt an lùib a' chuspair seo, air sgàth 's gun robh a' mhòr-chuid de na freagairtean a fhuair mi bhon chloinn beagan uachdarach is glè thric gun chus susbaint. A dh'aindeoin sin, dh'fheuch mi ri obrachadh a-mach cò às a fhuair iad na pìosan fiosrachaidh a bh' aca.

Fhuair an aon sgoilear a dh'aithris nach robh eòlas sam bith aice air eachdraidh na Gàidhlig fios a-steach air a' chuspair bhon sgoil a-mhàin. Bha dithis eile air beachdan a thoirt seachad a dhaingnich gun robh iad air ìomhaighean is pìosan fiosrachaidh a thogail gu ceàrr: cha robh aonan dhiubh mothachail air fios a-steach sam bith, fhad 's a fhuair tè eile a' mhòr-chuid den fhiosrachadh tron sgoil.

Am measg nan sgoilearan a bha air pìosan de bheachdan a chur air adhart a bha an ìre mhath ceart ach eu-coileanta, bha còignear air iomradh a dhèanamh air a' cheangal eadar a' Ghàidhlig agus Alba no dualchas na h-Alba. Thuirt ceathrar às a' bhuidhinn sin gun togadh iad fiosrachadh air cuspairean eachdraidheil is cultarach tron sgoil (triùir: a' mhòr-chuid san sgoil; aonan: dìreach rud beag san sgoil), nam measg aonan a chluinneadh rud beag ma dheidhinn aig an taigh cuideachd. Mar sin, thathar an dùil gun robh cuideigin san dà sgoil sin – bha na sgoilearan às a' bhuidhinn sin uile à dà sgoil a-mhàin – air iomradh a dhèanamh air ceangal eadar a' Ghàidhlig is Alba.

Bha dithis sgoilear air beagan eòlais is tuigse air eachdraidh cànanach na Gàidhlig a thaisbeanadh, nam measg aonan a fhuair am fios a-steach a bu mhotha bhon taigh agus rud beag tro na meadhanan (bha i a' faireachdainn nach d' fhuair i càil bhon sgoil), agus tè eile a chùm a-mach gun d' fhuair i fiosrachadh eachdraidheil sa bhun-sgoil ach cha b' ann idir san àrd-sgoil. Cha d' fhuair an dithis seo an cuid eòlais bhon àrd-sgoil a-rèist.

53 Bialystok 2001.

Bha ceathrar sgoilear eile air a bhith a-mach air a' cheangal shònraichte a bh' aig a' Ghàidhlig ris na h-eileanan agus a' Ghàidhealtachd, agus thuirt triùir nam measg gun d' fhuair iad a' chuid a bu mhotha de dh'fhiosrachadh eachdraidheil is cultarach san sgoil, is chluinneadh aonan dhiubh rud beag aig an taigh cuideachd. Mhìnich tè eile gum faigheadh i fios a-steach leth mu leth bhon sgoil agus bhon taigh.

Cha robh pàtran sònraichte ga shealltainn an lùib mothachaidh air lùghdachadh àireamh luchd-bruidhinn na Gàidhlig thairis air na linntean: thàinig an triùir cloinne a thog a' phuing sin à suidheachaidhean eadar-dhealaichte. Fhuair an aon sgoilear a thaisbein rud beag mothachaidh air suidheachadh poileataigeach na Gàidhlig fiosrachadh bhon dachaigh is bhon sgoil, leth mu leth.

Tha coltas ann nach d' fhuair a' chlann mòran fios a-steach a thaobh eachdraidh is cultair san sgoil idir. Cha robh mòran cheanglaichean taiceil gan sealltainn eadar an ìre de dh'eòlas agus fiosrachadh bhon sgoil, agus tha an dìth fios a-steach ga thaisbeanadh fiù 's nas treasa na sin, ma bheir sinn sùil air àireamh mhòr na cloinne aig nach robh fiù 's aon bheachd farsaing air eachdraidh is cultar na Gàidhlig.

Bha àireamhan na cloinne aig an robh rud beag eòlais dha-rìribh beag agus, glè thric, bha fios a-steach gu ìre air choreigin aig an fheadhainn sin bhon dachaigh no bhon choimhearsnachd.

Air sgàth 's gun robh a' chuid a bu mhotha de na freagairtean cho lag sa chiad dol-a-mach, bha e doirbh sgrùdadh a dhèanamh le cinnt air ceanglaichean eadar na beachdan sin is am fios a-steach. Ach 's e freagairt a tha seo innte fhèin: gun do dh'fhàs e follaiseach nach robh fios a-steach gu leòr aig a' chloinn gus eòlas farsaing a thogail air eachdraidh is cultar na Gàidhlig, a bharrachd air eisimpleir no dhà far an d' fhuair na sgoilearan fiosrachadh bhon dachaigh.

CO-DHÙNAIDHEAN AIR TUIGSE NAN SGOILEARAN AIR A' GHÀIDHLIG

'S e caibideil le iomadh fo-chuspair a bha seo, agus gus cuimhneachadh air na prìomh thoraidhean a fhuair sinn aiste, 's fhiach geàrr-iomradh a dhèanamh orra ann an cruth soilleir goirid. Cumaidh sinn ris a' phàtran a chaidh a chleachdadh sna caibideilean roimhe agus cuiridh sinn na toraidhean às an dà ìre, bun-sgoil agus àrd-sgoil, mu choinneimh a chèile an seo. Mar sin, bidh e comasach coimeas a dhèanamh eadar an dà ìre, an lùib eòlas na cloinne air eachdraidh is cultar na Gàidhlig, air a h-inbhe, air adhbhar FMG agus, mu dheireadh thall, air feum na cànain gu farsaing.

Eachdraidh agus cultar

Cha robh mòran diofair ga shealltainn eadar clann às an dà bhuidhinn (BS agus AS) a thaobh eòlais air eachdraidh is cultar na Gàidhlig, a bharrachd air gun robh àireamh na bu mhotha de sgoilearan BS (10) gun a bhith comasach air tuairisgeul sam bith a dhèanamh air a' Ghàidhlig (AS: 2). Feumaidh mi aideachadh, ge-tà, gun robh a' chuid a bu mhotha de na freagairtean AS glè ghoirid agus tana agus, mar sin, nach eil na h-àireamhan a' ciallachadh diofar cho mòr is a dh'fhaodamaid smaoineachadh an toiseach.

Am measg cuid de sgoilearan às an dà ìre, chaidh diofar bheachdan bunaiteach a thogail, a' gabhail a-steach rud beag eachdraidh na Gàidhlig, a ceanglaichean ri Alba, thradaiseanan agus an diofair ann an seasamhan dhaoine is àireamhan an luchd-bruidhinn ann an diofar sgìrean ann an Alba. Sheall an fheadhainn sin eòlas fìor bhunaiteach air co-theagsa na Gàidhlig, ged a bha a' mhòr-chuid de na freagairtean a bh' aca an sin gun doimhneachd.

A thaobh a bhith a' mìneachadh an cuid bheachdan, cha robh clann AS càil na b' ealanta, na bu doimhne no na bu chiallaiche na sgoilearan BS. 'S e iongnadh mòr a bh' anns an toradh sin dhomh, oir bhite an dùil gum biodh sgoilearan na h-àrd-sgoile air mòran a bharrachd fiosrachaidh a thogail mu na cuspairean sin na sgoilearan BS.

Inbhe na Gàidhlig

B' i ceist gu math riatanach is inntinneach a bh' ann dhòmhsa a bhith a' faicinn cho mothachail is a bha a' chlann air suidheachadh agus inbhe na Gàidhlig ann an Alba. An robh iad a' tuigsinn gur e mion-chànain a bh' innte agus cho beag is a bha àireamh a luchd-bruidhinn an taca ris, mar eisimpleir, a' Bheurla air neo an robh an cuid sheallaidhean is tuigse air a' chànain cuingealaichte gu saoghal na sgoile no saoghal an teaghlaich? Ann a bhith a' bruidhinn riutha mu eòlas is tuigse air inbhe no suidheachadh na Gàidhlig, thàinig e am bàrr gun robh dìreach mu dheichnear sgoilear às gach buidhinn mothachail air a' Ghàidhlig mar mhion-chànain. A rèir choltais, ghabh an fheadhainn eile ris a' chànain mar phàirt den fhoghlam aca agus cha do smaoinich iad ma deidhinn ann an co-theagsa na b' fharsainge idir.

Chùm àireamh na bu mhotha de sgoilearan BS (30) a-mach gun robh a' Ghàidhlig fhathast cudromach san latha an-diugh (an taca ri 20 sgoilear AS), ach stèidhich iad an cuid bheachdan barrachd air faireachdainnean pearsanta, fhad 's a bha na sgoilearan AS beagan na bu mhothachaile air iomairt an ath-bheothachaidh, air an fheum a dhèanadh a' chànain don dùthaich is a cultar agus air a' chonnspaid timcheall air inbhe na Gàidhlig ann an Alba.[54]

---

54 Cf. Oliver 2010.

Bha àireamh beagan na bu mhotha de sgoilearan BS (15) air tuigsinn gun robh diofar ann a thaobh inbhe na Gàidhlig agus àireamh luchd-bruidhinn ann an sgìrean eadar-dhealaichte ann an Alba. Aig ìre na h-àrd-sgoile, cha do thaisbein ach mu chairteal de na sgoilearan mothachadh air a' chùis sin.

Cha do rinn gin de na sgoilearan iomradh air a' cheangal eadar ath-bheothachadh na Gàidhlig agus an dreuchd no a' phàirt a dh'fhaodadh a bhith aca fhèin san iomairt. Fiù 's am measg feadhna a bha gu math làidir airson 's gun rachadh inbhe na Gàidhlig àrdachadh is a suidheachadh a leasachadh, cha robh mothachadh ga shealltainn air cho mòr is a bha am feumalachd-san ann an iomairt na Gàidhlig. Tha e inntinneach gun robh cuid dhiubh air beagan tuigse a shealltainn air suidheachadh na Gàidhlig, gum b' e mion-chànain a bh' innte a bha feumach air barrachd luchd-bruidhinn is gun robh mòran iomairtean a' feuchainn ri a h-ath-bheothachadh agus, cuideachd, dh'innis iad dhomh gum b' e aon de na prìomh adhbharan gun robh FMG ann a bhith a' cumail na Gàidhlig beò. Ach ged a thuig iad an dà phuing sin gu ceart, cha robh coltas ann gun do thuig iad an ceangal eatarra, .i. ma tha FMG ann airson cur ri ath-bheothachadh na cànain, gum feum an siostam barrachd luchd-bruidhinn a 'chruthachadh' a bhios ga cumail a' dol, agus gu bheil 'ga cumail a' dol' a' ciallachadh – don luchd-bruidhinn sin – a bhith ga bruidhinn is ga cleachdadh, agus chan ann a-mhàin san sgoil fhèin. Fhuair Conchúr Ó Giollagáin (2012) toraidhean gu math coltach ri sin am measg sgoilearan tro mheadhan na Gàidhlig ann an Èirinn: chuir e ceistean orra ceangailte ri seasamhan mu choinneimh na cànain agus mar a bha iad an dùil a bhith ga cleachdadh san àm ri teachd. Gu h-inntinneach, dh'fhaighnich e cuid de na ceistean mu chleachdaidhean cànain san àm ri teachd ann an dòigh fharsaing, mar eisimpleir am bu chòir do luchd-bruidhinn Gàidhlig na h-Èireann a' chànain a thoirt air adhart don chloinn aca fhèin, fiù 's nam biodh companach gun Ghàidhlig aca. Fhuair e freagairtean gu math làidir an sin, agus a' chlann a' sealltainn tòrr taice don chànain is ag ràdh, gu deimhinne, gum bu chòir do na h-uile aig an robh a' chànain a toirt don ath ghinealach. Ge-tà, nuair a dh'fhàs na ceistean na bu phearsanta, a leithid dè dhèanadh iad fhèin, ann an suidheachadh coltach ri sin, cha robh na sgoilearan idir cho làidir is taiceil is chùm iad na freagairtean aca cho fosgailte is mì-shoilleir 's a ghabhadh. Bha na beachdan aca taiceil cho fad 's a bha astar eadar na seasamhan sin is am beatha fhèin, ach lagaich iad gu mòr cho luath is a dh'fhalbh an t-astar sin is gum b' e cùis ceangailte riutha gu pearsanta a bh' innte (ibid.).

Mar a chunnaic sinn sna h-earrainnean roimhe, chaidh beachdan bunaiteach a thogail le cuid de chlann, ach cha robh na freagairtean domhainn is leudaichte idir, agus cha do thaisbein duine sam bith eòlas math air suidheachadh na Gàidhlig ann an tè seach tè den dà bhuidhinn.

Tuigse air adhbhar FMG

Bha a' chuid a bu mhotha den chloinn (BS agus AS) comasach air adhbhar
no dhà air an deach FMG a stèidheachadh, nam beachd-san, ainmeachadh.
A-rithist, bha freagairtean às an dà bhuidhinn goirid is gun a bhith leudaichte,
ach chunnaic sinn gun robh beachdan inntinneach feumail fìorachail aig cuid
de na sgoilearan.

Aig ìre BS agus aig ìre AS, rinn mu chairteal de na sgoilearan iomradh air
ath-bheothachadh cànain mar aon de na h-adhbharan aig bonn FMG, ach
bha coltas ann gun robh sgoilearan AS beagan na bu chinntiche mu dhreuchd
na sgoile ann an ath-bheothachadh na Gàidhlig. Choimhead iadsan air
iomairt an ath-bheothachaidh mar am prìomh adhbhar gun robh FMG ann.
Am measg sgoilearan BS, mhothaich mi barrachd mì-chinnt a thaobh nàdar
a' cheangail eadar FMG agus ath-bheothachadh na Gàidhlig, ged a bha gu
leòr dhiubh air cur an cèill co-dhiù gun robh FMG ann airson 'a' Ghàidhlig
a chumail a' dol'.

A thuilleadh air sin, bha e inntinneach faicinn gun robh barrachd sgoilearan
BS (16) is a bha sgoilearan AS (10) mothachail air buannachd an dà-chànanais
agus gum faodadh sin a bhith na adhbhar air an deach FMG a thòiseachadh.

Feum na Gàidhlig

Sa phàirt seo, chunnaic sinn beachdan na cloinne air an fheum a dhèanadh
a' Ghàidhlig dhaibh fhèin (san latha an-diugh is san àm ri teachd) agus air a
feum do dh'inbhich.

Thuirt a' mhòr-chuid de dh'agallaichean BS gun do smaoinich iad gun
robh a' Ghàidhlig feumail dhaibh ann an dòigh air choreigin, an taca ri mun
dàrna leth de sgoilearan AS a thuirt an aon rud. Bha àireamh mhòr de na
sgoilearan a bu shine mì-chinnteach mu fheum na cànain san fharsaingeachd.

Chuir na bu lugha na cairteal de na sgoilearan às an dà bhuidhinn
freagairtean is beachdan susbainteach an cèill (ach gun a bhith gan leudachadh
gu mionaideach), nam measg argamaidean mu chothroman obrach na b'
fheàrr san àm ri teachd.

A thaobh feum na Gàidhlig do dh'inbhich bha freagairtean nan sgoilearan
às an dà ìre coltach ri chèile airson na mòr-chuid. Nochd diofar bheachdan
ciallach sna freagairtean aca, ach thog e ceann gun robh cha mhòr a h-uile
freagairt stèidhichte air seallaidhean agus eòlas na cloinne fhèin (.i. na bha
cudromach dhaibh fhèin aig an àm), agus nach deach iad gu ìre na b' eas-
cruthaiche.

Cha do rinn ach àireamh glè bheag de sgoilearan iomradh air ath-
bheothachadh na Gàidhlig am measg adhbharan air an ionnsaicheadh inbhich
a' chànain (BS: 1, AS: 3). Aig ìre na bun-sgoile, bha barrachd sgoilearan gun

bheachd sam bith air a' chùis (6) agus feadhainn a thug seachad freagairtean gun mhòran cèille.

Thog e ceann sa chaibideil seo gun robh coltas ann nach robh tuigse mhath aig a' mhòr-chuid de sgoilearan air cuspairean ceangailte ris a' Ghàidhlig. Ged a bha feadhainn air pìosan fiosrachaidh a thogail air puingean (a leithid eachdraidh na Gàidhlig, ceangal ri cànainean eile, thradaiseanan, suidheachadh na Gàidhlig agus a feum dhaibhsan agus do dhaoine eile), cha robh na freagairtean idir fada is leudaichte agus cha robh mòran dhiubh aig an ìre a shùilichte aig an aois aca, a thaobh a bhith ciallach, soilleir agus susbainteach. Tha sin ri ràdh gun robh pìosan de dh'fhiosrachadh aig cuid den chloinn, ach nach b' urrainn dhaibh na pìosan sin a chur an cèill gu ciallach is ann an 'sruth', mar gum b' eadh, le ceanglaichean eatarra, seach coltach ri puingean fa leth ann an liosta.

Ged a bha beachd aig mòran sgoilearan às an dà ìre gun robh suidheachadh na Gàidhlig rudeigin cugallach, cha robh gin dhiubh comasach air mìneachadh gu reusanta na bha e a' ciallachadh don Ghàidhlig a bhith na mion-chànain ann an Alba. Bha coltas ann nach do thuig iad an co-theagsa a bu mhotha a thaobh eachdraidh agus inbhe na Gàidhlig, mar a chunnacas sna freagairtean, le mòran dhiubh cuingealaichte do dh'fhaireachdainnean pearsanta agus do dh'eòlas nam beatha fhèin/nan àrainneachd a-mhàin.

3. Co-dhùnaidhean: dè tha na toraidhean ag innse dhuinn?

Tha na trì caibideilean air pailteas de dh'fhiosrachadh a thathann a thaobh dhiofar chuspairean agus cheistean ceangailte ri FMG san latha an-diugh. 'S e an ceum as cudromaiche a-nis a bhith a' faighneachd dè as urrainn dhuinn ionnsachadh bho na toraidhean sin, agus ciamar as urrainn dhuinn an cur gu feum gus an siostam FMG a thoirt am feabhas.

Anns a' phàirt seo, tha mi airson tòiseachadh le bhith a' cur nam prìomh thoraidhean às gach caibideil an cuimhne, ann an cruth glè ghoirid, a' gabhail a-steach beagan cnuasachaidh a bharrachd air gach puing agus moladh no dhà air mar a ghabhadh i leasachadh. An uair sin, bheir sinn sùil air neartan agus duilgheadasan ann am FMG a thàinig am bàrr anns na caibideilean fa leth agus mar a ghabhadh am fiosrachadh sin a chur ris na toraidhean mionaideach gus dòighean leasachaidh a chruthachadh is a stèidheachadh. Mu dheireadh thall, thèid na co-dhùnaidhean agus beachdan a dheasbad bho shealladh na ceist dè a' chomasachd a tha FMG a' sealltainn mar-thà agus, a bharrachd air a bhith a' tathann bhuannachdan a leithid foghlaim aig ìre adhartach agus dà-chànanais don chloinn, ciamar a dh'fhaodadh sin a chuideachadh mar phàirt chudromach de dh'iomairt ath-bheothachadh na Gàidhlig?

Cnuasachadh nan toraidhean, Pàirt I

Misneachd na cloinne

Thaisbein sgoilearan AS agus sgoilearan BS an aon seòrsa phàtran a thaobh misneachd anns a' Ghàidhlig, leis a' chuid a bu mhotha dhiubh gu math misneachail agus cofhurtail a thaobh bruidhinn na Gàidhlig. 'S e toradh cudromach is brosnachail a bha sin ann fhèin, ach tha e nas inntinniche buileach nach robh an fhaireachdainn sin an-còmhnaidh an crochadh air ìre nan sgilean aca. Cha robh an diofar eadar fileantaich agus luchd-ionnsachaidh glè mhòr: a bharrachd air clann à dachaighean làidir a thaobh na Gàidhlig, bha àireamh mhòr de chlann gun fhacal Gàidhlig aig an taigh glè mhisneachail innte cuideachd. Tha seo air sealltainn cho mòr is a dh'fhaodadh buaidh na sgoile is an luchd-teagaisg a bhith ann am FMG ann am brosnachadh na cloinne.

Aig ìre na bu mhionaidiche, chunnaic sinn nach robh misneachd na cloinne (gu h-àraidh am measg sgoilearan BS) cho làidir ann an diofar raointean-cleachdaidh air taobh a-muigh na sgoile, gu sònraichte nan robh iad ann an suidheachadh a bha ùr dhaibh. Daingnichidh sin gun robh am misneachd dlùth-cheangailte rin cuid eòlais air raointean-cleachdaidh Gàidhlig agus cleachdaidhean cànain nam beatha fhèin.

Bha cuid de na sgoilearan AS air a dhol tro lagachadh misneachd bhon a dh'fhàg iad a' bhun-sgoil, a rèir nam beachdan aca fhèin, agus dh'fhaodadh gu bheil sin ceangailte ris an dà chuid lùghdachadh tairgse de chuspairean tron Ghàidhlig agus, mar sin, lùghdachadh fios a-steach anns a' Ghàidhlig, air neo ris cho eadar-dhealaichte is a bhios àrainneachdan cànanach sa bhun-sgoil (far an robh a' Ghàidhlig stèidhichte mar mheadhan teagaisg aig an aon ìre ris a' Bheurla) agus san àrd-sgoil (mar as trice sgoiltean Beurla le Gàidhlig mar chuspair agus beagan chuspairean a bharrachd troimhpe, ach gun a bhith aig an aon ìre ris a' Bheurla a thaobh làthaireachd san sgoil). Tha a' phuing mu dheireadh na bu cheangailte ri ìomhaigh na cànain am beachd na cloinne agus ris an ìre don deach a' Ghàidhlig a nàdarrachadh ann an àrainneachd na sgoile. A bharrachd air sin, chunnaic sinn gun robh sgoilearan AS na bu mhothachaile air an diofar eadar na sgilean aca anns a' Ghàidhlig agus anns a' Bheurla agus mar a bha a' bheàrn eatarra a' fàs na bu mhotha na bu luaithe, agus gum b' ann air sgàth sin a chaill cuid dhiubh beagan misneachd.

Moladh ceangailte ri misneachd

'S e an aon mholadh a dh'fhaodainn a thogail an lùib misneachd a bhith a' toirt barrachd taice agus barrachd chothroman do sgoilearan sna h-àrd-sgoiltean gus tuilleadh Gàidhlig a chluinntinn is, gu h-àraidh, a chleachdadh gus nach biodh na sgilean agus cleachdaidhean cànain aca a' lagachadh is a' bacadh an cuid misneachd. 'S e an dòigh as fheàrr gus àrainneachd mar seo a chruthachadh don chloinn a bhith a' stèidheachadh barrachd àrd-sgoiltean Gàidhlig ann an Alba is, mar sin, a' leantainn modail a tha air a bhith soirbheachail ann an dùthchannan eile far a bheilear a' tathann foghlam tro mheadhan mion-chànain.[1]

CNUASACHADH NAN TORAIDHEAN, PÀIRT II

Seasamhan mu choinneimh na Gàidhlig

Ged a thuirt a' mhòr-chuid de na sgoilearan às an dà ìre gun robh a' Ghàidhlig cudromach dhaibh, gu ìre air choreigin, bha seasamhan sgoilearan AS na bu laige na seasamhan cloinne BS. Aig an aon àm, dh'fhairich buidheann bheag de sgoilearan AS gu math làidir mu ath-bheothachadh na Gàidhlig.

Dhaingnich còmhradh ris na h-inbhich gun robh lagachadh ga shealltainn ann an seasamhan na cloinne a thaobh na Gàidhlig bhon bhun-sgoil chun na h-àrd-sgoile. Dh'aithris iomadh pàrant agus iomadh neach-teagaisg nach fhairicheadh cuid den chloinn cho fosgailte don Ghàidhlig no cho dòigheil rithe san àrd-sgoil, air sgàth 's nach biodh an aon ìomhaigh aca a thaobh na Gàidhlig 's a bh' aca aig ìre na bun-sgoile.

---

1 Chaidh seo a mhìneachadh na bu tràithe, ann an Caibideil 2. Airson tùsan fiosrachaidh a bhios a' dèiligeadh ri eisimpleirean à Èirinn, às a' Chuimrigh agus à Canada, faic, mar eisimpleir, Coupland et al. 2005, Skutnabb-Kangas 2002, Cummins 2000, Ó Fathaigh 1991.

Cha robh sgoilearan na bun-sgoile faisg air an ìre de thuigse a thaobh inbhe na Gàidhlig ann an Alba (a bharrachd air sgoilear no dhà), agus bhiodh a' mhòr-chuid dhiubh a' dèiligeadh ris a' Ghàidhlig agus ris an t-suidheachadh ionnsachaidh aca ann an dòigh làn faireachdainn seach reusan. Mar eisimpleir, bhiodh a' Ghàidhlig cudromach dhaibhsan, air sgàth 's gun do chòrd FMG riutha agus a chionn 's gun robh iad measail air a' Ghàidhlig. Air sàillibh 's gun robh a' chànain cudromach dhaibh fhèin, ghabhadh iad ris gun robh a' Ghàidhlig cudromach do cha mhòr a h-uile duine ann an Alba cuideachd, agus msaa.[2] Bha coltas ann gun do thuig sgoilearan AS beagan a bharrachd mu shuidheachadh na Gàidhlig ann an Alba agus gun robh iad comasach air beachdan eas-cruthach[3] a ruigsinn nan smuaintean, an àite a bhith a' stèidheachadh a h-uile barail air faireachdainnean agus air an eòlas phearsanta aca fhèin a-mhàin. Dh'fhaodadh sin a bhith na dhearbh adhbhar cuideachd nach robh seasamhan nan sgoilearan AS cho làidir mu choinneimh na cànain tuilleadh: chitheadh iad gun robh a' Bheurla an ìre mhath aig a h-uile duine san dùthaich (agus fiù 's nas fhaide na sin), fhad 's a bha a' Ghàidhlig na mion-chànain le àireamh bheag de luchd-bruidhinn agus cliù a bhiodh mòran am measg na h-òigridh a' ceangal ri beatha sheann-fhasanta seach beatha ùr-nuadh, làn goireasan teigneòlach an latha an-diugh. Chùm mòran cloinne AS ri seallaidhean pragtaigeach seach faireachdainneil, a' gabhail a-steach an fheum a dhèanadh a' Ghàidhlig dhaibh fhèin san sgoil agus san àm ri teachd[4] agus a' stèidheachadh an cuid sheasamhan mun Ghàidhlig air na feumalachdan sin seach air faireachdainnean pearsanta mun chànain.

Beachdan nan sgoilearan air FMG (BS agus AS)

Bha a' chuid a bu mhotha de sgoilearan BS agus AS san t-suidheachadh gum b' iad an cuid phàrant a bha air FMG a thaghadh dhaibh, ach, aig an aon àm, bha cha mhòr a h-uile sgoilear toilichte le sin. Fhuair mi fios air ais gu math dòigheil mun mhòr-chuid de na sgoiltean agus aonadan dhan deach na h-agallaichean.

Ged a bha cuid den chloinn mothachail gun robh dùbhlain an lùib foghlaim tro mheadhan cànain nach robh aig a' mhòr-chuid dhiubh bho thùs, agus a bha na mion-chànain cuideachd, bha coltas ann nach do chuir sin dragh air a' mhòr-chuid dhiubh, agus thuirt iomadh sgoilear (gu h-àraidh aig ìre na bun-sgoile) gun do chòrd e riutha a bhith a' dèanamh rudeigin eadar-dhealaichte is gun robh iad a' faireachdainn sònraichte air sgàth na Gàidhlig.

2 Cf. Coupland et al. 2005.
3 eas-cruthach 'abstract'.
4 Cf. Morrison 2006, 147.

Gàidhlig san àm ri teachd (sna teaghlaichean)

Thuirt mu thrì cairteil de sgoilearan BS gum biodh iad airson a' Ghàidhlig a chumail anns na teaghlaichean aca fhèin, ach cha robh ach an dàrna leth de sgoilearan AS den aon bheachd. Gun fhios dè na co-dhùnaidhean cànanach a chuireas a' chlann an gnìomh san àm ri teachd, sna teaghlaichean aca fhèin, bha e inntinneach gun do chùm ceudad cho mòr de chlann BS a-mach, aig an ìre ud, gum bitheadh iad airson a' Ghàidhlig a thoirt don chloinn aca fhèin. Mar a sheall na freagairtean aca, bha am beachd sin gu tric stèidhichte air na faireachdainnean aca, .i. chòrd FMG riutha agus chòrd e riutha gun robh dà chànain aca; agus, gun a bhith a' smaoineachadh mu adhbharan poileataigeach no ideòlach, bha iad airson an fhios-fhaireachdainn shònraichte a bha sin a thathann don chloinn aca fhèin. Aig aois beagan na bu shine, mar a bha sgoilearan AS, bha coltas ann gun do dh'atharraich sin agus, an àite cho-dhùnaidhean neo-chiontach is faireachdainneil, thòisich barrachd sgoilearan air factaran farsaing agus factaran reusain a ghabhail a-steach; mar eisimpleir, do chuid, bhiodh an co-dhùnadh sin an crochadh air cùmhnantan pragtaigeach (inbhe na cànain aig an àm, taghadh de chothroman eile, àite-fuirich).

Molaidhean ceangailte ri seasamhan na cloinne mu choinneimh na Gàidhlig

Gus seasamhan mu choinneimh na Gàidhlig, an-diugh agus san àm ri teachd, a leasachadh is a neartachadh bhithinn a' moladh mhodhan teagaisg agus phròiseactan (do sgoilearan AS gu h-àraidh) a cheanglas a' Ghàidhlig barrachd ris an latha an-diugh, ri cultar co-aimsireil agus ri dòighean anns am faodadh i a bhith cudromach do bheatha phrìobhaideach na cloinne air taobh a-muigh na sgoile. Tha mi an dùil gun neartaicheadh sin an cuid sheasamhan mu choinneimh na cànain le bhith gan dèanamh na bu phearsanta. Leis gun tàinig e am bàrr gu bheil sgoilearan AS a' stèidheachadh an cuid bheachdan barrachd air fiosrachadh, feumalachd is reusan seach faireachdainnean, dh'fhaodadh e a bhith air leth feumail cuideachd tuilleadh cùl-fhiosrachaidh a thoirt dhaibh mun chànain fhèin: a suidheachadh (an-diugh is gu h-eachdraidheil, gu nàiseanta is gu h-ionadail), a cultar, adhbhar iomairt an ath-bheothachaidh (is a feum) agus an dreuchd a dh'fhaodadh a bhith aca fhèin san iomairt sin, nan robh iad ga h-iarraidh. Air an dòigh sin, bhiodh bunait làidir fhiosraichte aca air am b' urrainn dhaibh seasamhan a stèidheachadh, an àite faireachdainnean a-mhàin, a bhios ag atharrachadh gu math luath aig an aois sin co-dhiù (gu h-àraidh fo bhuaidh chomhaoisean).

CNUASACHADH NAN TORAIDHEAN, PÀIRT III

Eòlas air eachdraidh agus cultar

A bharrachd air gun robh àireamh na bu mhotha de sgoilearan BS (10) gun a bhith comasach air tuairisgeul sam bith a dhèanamh air a' Ghàidhlig (AS: 2), cha robh mòran diofair eadar clann às an dà bhuidhinn a thaobh eòlais air eachdraidh is cultar na Gàidhlig.

Bha a' mhòr-chuid de na h-agallaichean (AS agus BS) gun mhòran eòlais air cuspairean eachdraidheil is cultarach ceangailte ris a' Ghàidhlig agus, leis an fhìrinn innse, cha robh an fheadhainn às an àrd-sgoil càil na b' fhiosraichte no na b' ealanta na clann BS ann a bhith a' mìneachadh an cuid bheachdan. Thog cuid den chloinn às an dà ìre diofar phuingean agus diofar phìosan de bheachdan ceangailte ri eachdraidh is cultar, ach cha do mhìnich iad gin dhiubh gu coileanta. Airson na mòr-chuid bha coltas ann nach robh iad comasach air na pìosan fiosrachaidh a bha iad air togail a chur ri chèile gu brìgheil, is gum b' e sin an t-adhbhar gun robh a' chuid a bu mhotha de na freagairtean ag ainmeachadh aon bheachd no 'cnàimhean' de bheachd, gun a bhith a' dol na bu doimhne (fiù 's le ceistean a bharrachd airson an cuideachadh).

Inbhe na Gàidhlig

Cha robh ach mu dheichnear sgoilear às gach buidhinn mothachail air a' Ghàidhlig mar mhion-chànain. Nuair a bhruidhinn na h-agallaichean air inbhe agus suidheachadh na Gàidhlig, nochd pìosan de dhiofar chuspairean am measg nan adhbharan a thug a' chlann seachad. Mar a chaidh ainmeachadh san earrainn air seasamhan cànain, thàinig e am bàrr gun robh freagairtean sgoilearan na bun-sgoile glè thric stèidhichte air na faireachdainnean aca fhèin, fhad 's a smaoinicheadh sgoilearan AS barrachd mu iomairt an ath-bheothachaidh, feum na cànain don dùthaich agus don chultar agus, gu h-àraidh, mun fheum phragtaigeach a dhèanadh a' chànain dhaibh fhèin is do dhaoine eile.

Ged a bha beagan tuigse aig buidheann glè bheag de sgoilearan BS agus aig àireamh beagan na bu mhotha na sin am measg sgoilearan AS, cha do rinn gin de na sgoilearan ceangal eadar ath-bheothachadh na Gàidhlig agus an dreuchd a dh'fhaodadh a bhith aca fhèin san iomairt sin. Dhaingnich na tidsearan nach robh mòran sgoilearan ann an da-rìribh mothachail air suidheachadh na Gàidhlig agus air a' chunnart anns an robh a' chànain agus, gu deimhinne, cha do thuig iad cho mòr is a bha an fheumalachd aig a h-uile aon dhiubh ann an ath-bheothachadh na cànain mar-thà. Cha do thuig na sgoilearan fhathast gun robh a' Ghàidhlig feumach air oidhirp phragtaigeach chunbhalach bhuapa fhèin, mar eisimpleir le bhith ga bruidhinn aig gach cothrom, an-diugh agus san àm ri teachd, nan robh iad ag iarraidh a' chànain a chumail beò.

Ceangailte ris a' phuing air tuigse mun dreuchd aca ann an ath-bheothachadh na Gàidhlig, èiridh a' cheist, an iarradh a' chlann an t-uallach sin sa chiad dol-a-mach, gu bheil mairsinn na cànain an crochadh orra fhèin, .i. am biodh iad airson a bhith mothachail don dreuchd aca fhèin? Dh'fhaodte gun do thuig iad barrachd den chùis na sheall iad, ach nach robh iad deònach gabhail ri uallach mòr mar sin gu pearsanta, ged a bhiodh iad a' faireachdainn làidir mun Ghàidhlig. Sheall Conchúr Ó Giollagáin (2011) agus Nikolas Coupland et al. (2005) toraidhean coltach ri sin am measg sgoilearan ann an Èirinn agus sa Chuimrigh, far an do dh'fhàs e soilleir cho mòr is a dh'fhaodadh an diofar a bhith eadar faireachdainnean taiceil agus na ghabhas daoine os làimh ann an da-rìribh airson piseach a thoirt air cuspair nam faireachdainnean no nan seasamhan sin.[5]

A thuilleadh air sin, dh'fhaodamaid faighneachd am bu chòir do dhreuchd a bhith aig sgoilearan FMG, gu mothachail, ann an ath-bheothachadh na Gàidhlig, air neo cò ris a bu chòir dha a bhith coltach. Ged a tha e follaiseach gu bheil comasachd làidir aig sgoiltean a bhith a' cur ri iomairt an ath-bheothachaidh, 's e stèidheachdan foghlaim a th' annta sa chiad àite, .i. tha e na phrìomhachas gum faigh a' chlann deagh oideachas agus deagh ìre de dh'fhoghlam annta. Chan eil sin ri ràdh, ge-tà, nach eil an dà rud comasach aig an aon àm, is nach fhaod clann deagh fhoghlam dà-chànanach fhaighinn agus, cuideachd, fios a-steach ideòlach a bheir cothroman dhaibh a thuigsinn dè an dreuchd a dh'fhaodadh a bhith aca ann an ath-bheothachadh na Gàidhlig, nan robh iad ga h-iarraidh. Bhiodh e riatanach a' phàirt ideòlach de FMG a mhìneachadh gu mionaideach do phàrantan, agus cuideam a chur air a' phuing nach b' e *indoctrination* a thachradh don chloinn, ach gum faigheadh iad gu leòr fiosrachaidh air a' chùis gus am biodh iad comasach, an uair sin, air taghaidhean fiosraichte a dhèanamh air cho mòr is a bhiodh iad airson gabhail ri dreuchd sam bith ann an iomairt na Gàidhlig.

Tha mi a' togail na puinge sin air sgàth 's gun tàinig e am bàrr sna toraidhean rannsachaidh gu bheil ùidh aig a' chloinn fhèin air ceistean de leithid, gu bheil iad air feuchainn ri freagairtean ideòlach obrachadh a-mach iad fhèin agus gum biodh eòlas den t-seòrsa sin cuideachail dhaibh cuideachd gus an dìon fhèin an aghaidh dhaoine a bhiodh a' càineadh FMG no na Gàidhlig san fharsaingeachd air am beulaibh.

Tuigse air adhbhar FMG

Bha beachd aig a' mhòr-chuid de sgoilearan às an dà bhuidhinn air adhbhar FMG, ged nach robh na freagairtean aca glè mhionaideach. Chunnaic sinn gun robh sgoilearan AS beagan na bu chinntiche na sgoilearan BS mu dhreuchd

---

5 Fhuair sinn fiosrachadh air obair Ó Giollagáin ann an Caibideil 3 mar-thà, agus bha e fa-near do Coupland et al. (2005) nan cuid rannsachaidh a bhith a' toirt sùil mhionaideach air seasamhan àrd-sgoilearan ann am foghlam tro mheadhan na Cuimris mu choinneimh na cànain fhèin, air mar a bha iad an sàs ann am beatha chultarach Chuimreach agus air an cuid bheachdan a thaobh na bha e a' ciallachadh a bhith nan Cuimrich.

na sgoile ann an ath-bheothachadh na Gàidhlig, is gum b' e sin aon de na
h-adhbharan a thòisich FMG. Thog barrachd sgoilearan BS (16) na sgoilearan
AS (10) dà-chànanas gu farsaing agus buannachdan ceangailte ris mar adhbhar
FMG.

Ged nach robh a' phàirt a bu mhotha de fhreagairtean leudaichte idir, bha
e fhathast math faicinn gun robh beachd bunaiteach air choreigin aig a' mhòr-
chuid den chloinn. Chan urrainn dhuinn a bhith cinnteach dè cho math is a
thuig iad am bun-bheachd 'ath-bheothachadh' ann an da-rìribh, ge-tà, agus
ciamar a bha sgoiltean an dùil a bhith a' cur ris an tuigse sin.

Feum na Gàidhlig

Chùm a' mhòr-chuid de sgoilearan BS a-mach gun robh a' Ghàidhlig feumail
dhaibh, ann an dòigh air choreigin, ach bha sgoilearan AS na bu mhì-chinntiche
mu fheum na cànain, san latha an-diugh agus san àm ri teachd.

A thaobh feum do dh'inbhich, chleachd a' mhòr-chuid den chloinn às an
dà bhuidhinn na seallaidhean is an t-eòlas aca fhèin sna freagairtean, gun a
bhith a' dol gu ìre na b' eas-cruthaiche nan smuaintean, agus bha barrachd am
measg sgoilearan BS aig nach robh beachd sam bith no dìreach beachdan gun
susbaint chiallach. Cha do rinn ach àireamh glè bheag de sgoilearan (AS agus
BS) iomradh air ath-bheothachadh na cànain mar adhbhar air an ionnsaicheadh
inbhich a' Ghàidhlig; cha robh coltas ann gun do thuig iad cho làidir is a bha
cuid dhiubh a' faireachdainn mun ath-bheothachadh.

Molaidhean ceangailte ri tuigse air a' Ghàidhlig

Tha mi airson diofar mholaidhean a chur air adhart ceangailte ri cuspairean na
pàirt seo. An toiseach, mholainn gun rachadh stuthan ùra a chruthachadh a
dhèiligeadh ri cuspairean ceangailte ri eachdraidh is cultar na Gàidhlig, an dà
chuid aig ìre nàiseanta agus aig ìre ionadail. Air an dòigh sin, bidh an aon bhun-
fhiosrachadh (agus fios air a' cho-theagsa a bu mhotha) aig a h-uile pàiste ann
am FMG ann an Alba agus, a bharrachd air sin, bidh iad uile air rud beag mu
eachdraidh is tradaiseanan ionadail ionnsachadh cuideachd. Bhiodh sin air leth
cudromach gus ceanglaichean a neartachadh eadar fèin-aithne na cloinne is a'
chànain agus tuigse fharsaing a thoirt dhaibh air a' chànain a bheireadh dhaibh
adhbhar a cumail a' dol.[6]

Bhiodh e cuideachail nam biodh na cuspairean sin stèidhichte gu foirmeil
is gu cunbhalach sa chlàr-theagaisg airson FMG gu nàiseanta, gus nach bi fios
a-steach den t-seòrsa sin an crochadh air ùidh is sunnd an luchd-teagaisg. Bu
chòir do shuidheachadh na Gàidhlig mar mhion-chànain agus iomairtean ath-

6 Cf. Baker 2006, Oliver 2005.

bheothachaidh (FMG nam measg) a bhith na chuspair riatanach mar phàirt den teagasg eachdraidheil is chultarach. Leis mar a tha an Curraicealam airson Sàr Mhathais (CaSM)[7] ag obrachadh, cha bhiodh e ro dhuilich cuspairean de leithid a stèidheachadh sa chlàr-theagaisg – agus tha cuid den luchd-teagaisg ga dhèanamh mar-thà, air an ceann fhèin – oir bidh an CaSM a' cur a' chuideim air amasan ionnsachaidh, ach a' fàgail saorsa don luchd-teagaisg a thaobh coltas na slighe ionnsachaidh – cho fad 's a leanas e gu na h-amasan sin. Chan eil mi a' ciallachadh gum biodh cuspairean ceangailte ris a' Ghàidhlig a' gabhail thairis is gun cailleadh a' chlann leasanan cudromach, mar eisimpleir, air eachdraidh fharsaing an t-saoghail, ach gum faigheadh iad bunait de dh'fhiosrachadh a tha a' buntainn riutha fhèin, ris a' chànain is ris an t-sluagh aca agus, san fharsaingeachd, ris an dùthaich aca fhèin, an àite a bhith ag ionnsachadh mu dhùthchannan eile a-mhàin. Air an dòigh sin, gheibheadh iad an dà chuid eòlas eachdraidheil farsaing (eadar-nàiseanta is nàiseanta) agus eòlas eachdraidheil ionadail, aig an aon àm.

Tha mi airson a bhith glè shoilleir mun phuing seo, seach gun do thog aon phàrant an dragh nam biodh FMG a' gabhail a-steach barrachd ionnsachaidh air a' Ghàidhlig fhèin, an àite a bhith a' leantainn buileach an aon chlàir-theagaisg ri FMB, cha mhòr facal air an fhacal, nach biodh i cofhurtail a cuid cloinne a chur ann, eagal 's nach fhaigheadh iad foghlam farsaing freagarrach. Ge-tà, mar a mhìnich mi, tha an CaSM cho sùbailte a thaobh chuspairean a thèid a chleachdadh gus amasan ionnsachaidh a ruigsinn is gum biodh gu leòr chothroman aig an luchd-teagaisg cuspairean Gàidhlig fhighe a-steach sna pròsasan sin, a bharrachd air a bhith a' leantainn a' chlàir-theagaisg chumanta (FMG agus FMB) airson chlasaichean eachdraidh. Bha buidheann de phàrantan mì-thoilichte gun deach cuspairean a thaghadh gu tric airson nan 'slighean ionnsachaidh' sin anns nach fhaca iad mòran feum don chloinn, mar eisimpleir pròiseactan air na 'Bhioctòrianaich', air a' bhanais Rìoghail ann an 2011 agus air sgeul an *Titanic*. B' fheàrr leis na pàrantan sin nan dèiligeadh an cuid cloinne ri cuspairean eadar-dhealaichte sna pròiseactan sin a bhiodh buntainneach dhaibh fhèin agus dom beatha fhèin ann an dòigh air choreigin. Bhiodh am miann sin air a choileanadh tro na molaidhean a thog mi an seo.

A bharrachd air sin, bhiodh e cuideachail do sgoilearan FMG nan cluinneadh iad bho na tidsearan mu dhà-chànanas agus na dùbhlain is buannachdan an lùib shuidheachaidhean ionnsachaidh dhà-chànanaich, a bharrachd air an fheum àraidh a dhèanadh a' Ghàidhlig dhaibh, gus am biodh tuigse fharsaing aca air buannachdan an fhoghlaim a fhuair iad agus, aig ìre na b' fharsainge, air feum na Gàidhlig nam beatha mar òigridh agus mar inbhich.

7 Faic, mar eisimpleir, Scottish Government et al. 2010a is 2010b, 2009.

DEASBAD NAN TORAIDHEAN

Tro na diofar phuingean a chaidh a thogail san leabhar seo, tha sinn air diofar neartan agus diofar dhuilgheadasan ann am FMG fhaicinn. Dè an ath cheum a-rèist? Dè tha na toraidhean air innse dhuinn agus dè tha sinn ag iarraidh dèanamh leis an fhiosrachadh sin? Às dèidh a bhith a' faighinn a-mach mu neartan ris nach robh mi an dùil – co-dhiù gu ìre cho làidir – ron rannsachadh, saoilidh mi gu bheil comasachd fìor làidir ga sealltainn an sin, a thaobh leasachadh FMG, agus gum biodh e ciallach na neartan sin a chur gu feum is togail orra. Mar sin, dh'fhaodamaid na tha ag obrachadh gu math an-dràsta a neartachadh is a' bhunait sin a dhèanamh na bu làidire buileach agus, aig an aon àm, a cleachdadh gus cuid de na duilgheadasan a lùghdachadh.

B' e toradh air leth làidir a bh' ann gun robh a h-uile duine ris an deach bruidhinn – clann, luchd-teagaisg agus pàrantan – taiceil do shiostam FMG san fharsaingeachd is gum faca a' chuid a bu mhotha de dh'inbhich agus àireamh mhòr de chlann iomadh buannachd ann an ionnsachadh na Gàidhlig agus ionnsachadh tron Ghàidhlig. Cha tuirt pàiste sam bith gum b' fheàrr leotha a bhith ann am FMB seach FMG, fiù 's ged a bha feadhainn air beagan ùidh a chall aig ìre AS, agus cha robh gin de na pàrantan den bheachd gum biodh FMB air a bhith na b' fheàrr don cuid cloinne. Chunnaic sinn gun robh an luchd-teagaisg gu lèir fìor thaiceil do FMG agus deònach na h-uairean a bharrachd a dh'iarras obair ann am FMG seach FMB bhon toiseach a ghabhail os làimh. 'S e fìor dheagh bhunait a tha sin don t-suidheachadh ionnsachaidh, oir bidh fios aig gach neach-teagaisg gum biodh cùisean obrach na b' fhasa dhaibh ann an iomadh dòigh nan robh iad ag obair ann am FMB. Mar sin, chithear nàdar de cho-dhùnadh làidir a tha a h-uile tidsear FMG air ruigsinn fiù 's mus do thòisich iad air teagasg ann.

B' e toradh air leth brosnachail agus iongantach a bh' ann cuideachd gun robh a' mhòr-chuid de na h-agallaichean aig ìre BS agus aig ìre AS gu math misneachail agus cofhurtail a' Ghàidhlig a chleachdadh, fiù 's feadhainn nach robh buileach fileanta agus a bhiodh a' strì le briathrachas agus gràmar gu tric. B' e iongnadh mòr a bh' ann a bhith a' faicinn cho làidir is a bha na sgoilearan nam misneachd, a dh'aindeoin 's nach biodh an fhaireachdainn sin ceangailte ris na comasan aca. Seallaidh na toraidhean sin gun do bhrosnaich an luchd-teagaisg a' chlann gu mòr sna comasan Gàidhlig aca, às bith dè an ìre aig an robh na sgilean sin. Tha seo fìor chudromach airson pròsas ionnsachaidh na cloinne agus, san fharsaingeachd, tha e uabhasach cuideachail gun robh a' chlann cho misneachail sa Ghàidhlig, ged a b' e an dàrna cànain a bh' innte don mhòr-chuid dhiubh. Tha seo a' sealltainn nach fheumadh foghlam dà-chànanach a bhith a' cur dragh air clann idir, fiù 's ma tha iad nan luchd-ionnsachaidh agus mothachail air dùbhlanan a bharrachd ann an ionnsachadh tro chànain ùr, ach gu bheil e a' cuideachadh le bhith gan dèanamh nas làidire is nas misneachaile san fharsaingeachd.

A bharrachd air sin, b' e toradh brosnachail a bh' ann gun robh seasamhan taiceil mu choinneimh na Gàidhlig (agus FMG) aig àireamh mhòr de sgoilearan mar-thà. Chan urrainn dhuinn a ràdh le cinnt dè cho domhainn is a tha na beachdan sin, oir cha do mhìnich mòran de na sgoilearan an cuid bheachdan gu mionaideach, ach tha comasachd mhòr ga sealltainn a ghabhadh cleachdadh, mar eisimpleir, gus na sgoilearan a bhrosnachadh gus barrachd Gàidhlig a bhruidhinn agus gus a feuchainn ann an raointean-cleachdaidh eadar-dhealaichte cuideachd.

Leis an lagachadh a thog ceann eadar BS agus AS, a thaobh sheasamhan mu choinneimh na Gàidhlig, chithear gu bheil barrachd obrach a dhìth, gu h-àraidh aig ìre AS, gus na beachdan sin a neartachadh is an cumail aig ìre làidir, mar eisimpleir le bhith a' tathann barrachd fiosrachaidh air eachdraidh, cultar agus suidheachadh na Gàidhlig don chloinn, bhon bhun-sgoil air adhart. Chunnaic sinn gum bi clann AS a' stèidheachadh an cuid bheachdan barrachd air eòlas agus fiosrachadh seach faireachdainnean agus, mar sin, tha e coltach gun cuidicheadh barrachd fios a-steach agus cùl-fhiosrachaidh mu dheidhinn na Gàidhlig agus a co-theagsa gus na seasamhan taiceil a bh' aca roimhe a chumail aig an ìre sin, dìreach le bonn-stèidh eadar-dhealaichte. 'S e cothrom mìorbhaileach a th' againn an seo, a thaobh obair le beachdan nan sgoilearan, air sgàth 's gu bheil seasamhan taiceil agus misneachd aig àireamh glè mhòr de sgoilearan BS mar-thà, oir tha seo a' ciallachadh gun gabh togail air beachdan agus faireachdainnean a th' ann mar-thà, an àite a bhith a' cruthachadh rudeigin gu tur ùr. Le bhith a' cur fiosrachadh a bharrachd ri seasamhan na cloinne tha cothrom eile gu bhith againn cuideachd, agus 's e sin a bhith a' tionndadh nam beachdan sin bho bhith faireachdainneil a-mhàin (agus, glè thric, rudeigin fulangach no *passive*) gu ìre nas gnìomhachaile agus 's math dh'fhaodte spreigeach no *active*. Tron chùl-fhiosrachadh is tron eòlas a bharrachd air co-theagsa na cànain, bhiodh e comasach don chloinn an cuid fèin-aithne Gàidhealaich a ghabhail nan làmhan fhèin ann an dòigh na bu neo-eisimeiliche agus na b' inbheachaile (an àite a bhith ga fàgail mar rud a bhuineadh don bhun-sgoil is do dh'aois òg a-mhàin), agus dh'fhaodte gun cleachdadh iad na faireachdainnean is na seasamhan sin an uair sin gus piseach a thoirt air a' chànain.[8] Dh'fhaodadh leasachadh sgilean cànain cur gu mòr ris a' phròsas sin cuideachd, oir, ged a chunnacas àireamh mhòr de sgoilearan a

---

8 Cf. Ó Giollagáin 2011, Coupland et al. 2005.

bha misneachail a' Ghàidhlig a bhruidhinn, a dh'aindeoin mothachaidh air na laigsean aca fhèin, thog e ceann gun robh an dearbh mhothachadh na bhacadh do bhuidheann eile de chlann, a thaobh a bhith a' cur an cuid Gàidhlig gu feum gu pragtaigeach is gu làitheil, is gum biodh iad a' call am misneachd.

Bheir sinn sùil air ais cuideachd air an teòirig air cùl an rannsachaidh agus air na ceistean rannsachaidh a mhìnich mi aig fìor thoiseach an leabhair. B' iad sin a bhith a' togail fiosrachadh air *status quo* FMG san latha an-diugh le bhith a' sgrùdadh nan cuspairean a leanas:

(1) misneachd na cloinne anns a' Ghàidhlig
(2) seasamhan nan sgoilearan mu choinneimh na Gàidhlig agus an cuid bheachdan is fhaireachdainnean mu choinneimh FMG
(3) tuigse na cloinne air a' chànain (eachdraidh/cultar, adhbhar/feum FMG, feum na Gàidhlig san fharsaingeachd)

Ceangailte ris gach cuspair sin, bha e fa-near dhomh obrachadh a-mach dè dha-rìribh a b' urrainn dhuinn a bhith an dùil ris a thaobh fios a-mach bhon chloinn, stèidhichte air an t-seòrsa fios a-steach a fhuair iad sa chiad dol-a-mach. Chì sinn a-nis, às dèidh dhuinn dol tro thoraidhean an rannsachaidh, gu bheil dàimh inntinneach ri faicinn ann an da-rìribh eadar freagairtean na cloinne air na prìomh chuspairean (fios a-mach) agus na tùsan fiosrachaidh a dh'ainmich iad airson an eòlais aca (fios a-steach). Ged nach tàinig an ceangal sin troimhe a cheart cho làidir ann an gach fo-cheist an rannsachaidh, dh'fhàs e soilleir, far an robh beàrnan agus laigsean gan sealltainn san fhios a-mach (bho thaobh na cloinne), gun robh laigsean san fhios a-steach sa chiad dol-a-mach.

Bhiodh sin air tachairt an dà chuid seach nach robh fios a-steach freagarrach ann idir no dìreach far an gabhadh neach-teagaisg cuspairean cudromach a-steach air a ceann fhèin (gun stiùiridhean oifigeil sa churraicealam airson FMG a dh'iarradh oirre sin a dhèanamh), air neo seach nach robh tidsearan air taic/stiùireadh/stuthan fhaighinn air na modhan obrach a b' fhèarr gus fios a-steach iomchaidh a sholarachadh air cuspairean sònraichte. Chunnaic mi cuideachd nach robh ceangal làidir ga thogail anns gach sgoil eadar a' Ghàidhlig agus a cultar, ged a thàinig e am bàrr gun cuireadh ceanglaichean den t-seòrsa sin gu mòr ri tuigse agus faireachdainnean na cloinne mun Ghàidhlig agus, aig ìre na bu phearsanta, fiù 's ri ceangal eadar fèin-aithne na cloinne is a' Ghàidhlig. Ged a bha teagamh air cuid de dh'inbhich gum biodh clann aig ìre BS ro òg airson cuspairean a leithid suidheachadh na Gàidhlig agus ideòlasan timcheall air mion-chànain a thuigsinn, mhothaich sinn tro agallamhan na cloinne fhèin gun robh an dearbh chomas ga shealltainn aig cuid, agus iad air tòiseachadh air ceasnachadh, mar eisimpleir, carson nach robh a' Ghàidhlig aig a h-uile duine ann an Alba agus carson a bha cuid de dhaoine na h-aghaidh.[9] Tha na h-eisimpleirean sin a' daingneachadh nach eil a' chlann ro òg fiù 's aig ìre na bun-sgoile (na bliadhnaichean mu dheireadh) airson chuspairean ceangailte ri suidheachadh na Gàidhlig agus ideòlasan cànain agus gum biodh e a' còrdadh riutha a bhith ag ionnsachadh barrachd timcheall air a' chànain tro bheil iad a' faighinn an cuid foghlaim. Chunnaic sinn cuideachd bho chuid de na h-agallamhan gu bheil na sgoilearan a' tuigsinn barrachd a thaobh poileataigs cànain, ann an dòigh im-fhiosraichte is gun a bhith eòlach air a' bhriathrachas ceangailte ris, na bha an cuid phàrantan a' sùileachadh bhuapa aig an aois sin. Seach gum bi iad mothachail aig aois òg cuideachd nach eil a' Ghàidhlig aig a h-uile duine timcheall orra, ged a tha a' Bheurla, agus gum bi sgoilearan gun Ghàidhlig aig amannan a' feuchainn ri cur sìos air a' Ghàidhlig mu choinneimh sgoilearan FMG, bhiodh e cuideachail dhaibh cùl-fhiosrachadh fhaighinn air suidheachadh na cànain is msaa. Bhiodh sin gan cuideachadh an suidheachadh aca fhèin a thuigsinn na b' fheàrr is a bhith na b' ullaichte nan cuireadh cuideigin mun cuairt orra ionnsaigh air a' chànain.

Tha mi air mòran mholaidhean a chur air adhart san leabhar seo, agus thàinig beachdan leasachaidh a bharrachd am bàrr tron tràchdas PhD fhèin agus, nam bheachd-sa, bu chòir dhuinn am fòcas a chumail air a bhith a' faicinn na comasachd leasachaidh a th' aig an t-siostam FMG san fharsaingeachd. Chan eil teagamh ann nach eil sgoilearan FMG a' faighinn foghlam aig ìre àrd is gu bheil an suidheachadh ionnsachaidh dà-chànanach a' dèanamh feum dha-rìribh mòr dhaibh mar-thà, ach chunnaic sin gu bheil mòran chothroman a bharrachd ann fhathast gus an siostam a leasachadh bho thaobh na Gàidhlig is a co-theagsa fhèin, a' gabhail a-steach leasachadh sgilean cànain na cloinne agus neartachadh an cuid sheasamhan is an tuigse air eachdraidh/cultar/inbhe na Gàidhlig.

Oir, a bharrachd air a bhith a' tathann foghlam dà-chànanach aig ìre mhath, dh'fhaodadh FMG an uair sin a bhith a' cur mòran a bharrachd ri ionnsachadh farsaing na cloinne, a bhiodh gan cuideachadh ann an leasachadh sgilean Gàidhlig is ann an neartachadh chleachdaidhean cànain agus, cuideachd, ann an tuigse chultarach, eachdraidheil is phoileataigeach (bho thaobh cànain) na dùthcha is na h-àrainneachd aca fhèin. Às bith dè na co-dhùnaidhean a bhios sgoilearan FMG a' ruigsinn san àm ri teachd ceangailte ris a' Ghàidhlig agus iomairt a h-ath-bheothachaidh,[10] bhiodh iad an uair sin ann an suidheachadh far am b' urrainn dhaibh fhèin taghadh gu fiosraichte, mar neach fìor dhà-

---

9 Cf. Morrison 2006.
10 Cf. Dunmore 2012.

chànanach is dà-chultarach, dè na dòighean anns am biodh iad airson an cuid sgilean agus eòlais ceangailte ris a' Ghàidhlig a chur gu feum, an dà chuid aig ìre phoblach (mar eisimpleir tro obraichean no pròiseactan) agus aig ìre phearsanta (nan cuid theaghlaichean, nam fèin-aithne). Bhiodh am pròsas taghaidh sin fada na bu chothromaiche dhaibh na a bhith a' stèidheachadh cho-dhùnaidhean cànanach air dìth eòlais, dìth tuigse agus faireachdainnean caochlaideach, fo bhuaidh na mòr-chànain agus gun chàil a dh'fhaodadh iad a chur na h-aghaidh gus cothromachadh pearsanta a ruigsinn eadar saoghail na dà chànain.

Armstrong, Timothy Currie, 2013, ' "Why won't you speak to me in Gaelic?":
    Authenticity, Integration and the Heritage Language Learning Project',
    Journal of Language, Identity and Education 12.5, 340–56.
Baker, Colin, 2006, *Foundations of bilingual education and bilingualism* (3s
    deas., Clevedon: Multilingual Matters).
Bialystok, Ellen, 2001, *Bilingualism in Development: Language, Literacy, and
    Cognition* (Cambridge: Cambridge University Press).
Chomsky, Noam, 1965, *Aspects of the Theory of Syntax* (Cambridge, MA: MIT
    Press).
Coupland, Nikolas, Hywel Bishop, Angie Williams, Betsy Evans is Peter
    Garrett, 2005, 'Affiliation, engagement, language use and vitality: secondary
    school students' subjective orientations to Welsh and Welshness', *International
    Journal of Bilingual Education and Bilingualism* 8, 1–24.
Cummins, Jim, 2000, *Language, Power and Pedagogy: Bilingual Children in the
    Crossfire* (Clevedon: Multilingual Matters).
d'Anglejan, Alison, 1990, 'The role of context and age in the development of
    bilingual proficiency', ann am Birgit Harley et al., deas., *The Development
    of Second Language Proficiency* (Cambridge: Cambridge University Press),
    146–57.
Dorian, Nancy C., 1981, *Language death: the life cycle of a Scottish Gaelic dialect*
    (Philadelphia: University of Pennsylvania Press).
Dorian, Nancy C., 1994, 'Comment: Choices and Values in Language Shift
    and Its Study', *International Journal of the Sociology of Language* 110, 113–24.
Dunmore, Stiùbhart, 2012, 'Beatha dhà-chànanach às dèidh na sgoile? FMG,
    cleachdadh cànain agus fèin-aithne' (Glaschu: Òraid aig Rannsachadh na
    Gàidhlig 2012).
Duranti, Alessandro, 1997, *Linguistic Anthropology* (Cambridge: Cambridge
    University Press).
Edwards, Anthony Davies, 1976, *Language in Culture and Class: The Sociology
    of Language and Education* (London: Heinemann Educational Books Ltd).
Edwards, John, 2009, *Language and Identity* (Cambridge: Cambridge University
    Press).
Gardner, Robert C., is Wallace E. Lambert, 1959, 'Motivational variables in
    second-language acquisition', *Canadian Journal of Psychology* 13.4, 266–72.
Fishman, Joshua A., 1991, *Reversing Language Shift: Theoretical and Empirical
    Foundations of Assistance to Threatened Languages* (Clevedon: Multilingual
    Matters Ltd).
Fishman, Joshua A., 2001a, 'Why is it so Hard to Save a Threatened Language?',

ann an Joshua A. Fishman, deas., *Can Threatened Languages Be Saved? Reversing Language Shift Revisited: A 21st Century Perspective* (Clevedon: Multilingual Matters Ltd.), 1–22.

Fishman, Joshua A., 2001b, 'From Theory to Practice (and Vice Versa): Review, Reconsideration and Reiteration', ann an Joshua A. Fishman, deas., *Can Threatened Languages Be Saved? Reversing Language Shift Revisited: A 21st Century Perspective* (Clevedon: Multilingual Matters Ltd), 451–83. (1d fhoills. ann an Ernst Håkon Jahr, deas. (1993), *Language Conflict and Language Planning* (Berlin: Mouton de Gruyter), 69–81.)

Gallagher, Michael, 2009, 'Data collection and analysis', ann an E. Kay M. Tisdall, John M. Davis is Michael Gallagher, deas., *Researching with children and young people: Research, Design, Methods and Analysis* (London: SAGE), 65–88.

Johnstone, Richard, Wynne Harlen, Morag MacNeil, Bob Stradling is Graham Thorpe, 1999, *The Attainments of Pupils Receiving Gaelic-medium Primary Education in Scotland* (Stirling: Scottish CILT).

Landgraf, Sìleas, 2011, *A' fosgladh raointean-cleachdaidh ùra dhan Ghàidhlig – Am pròiseact ealain 'Air Iomlaid'* (Aithisg rannsachaidh, Dùn Èideann), <http://www.smo.uhi.ac.uk/PDFs/Rannsachadh/Air-Iomlaid-Gaidhlig.pdf>.

Landgraf, Sìleas, is Alasdair MacMhaoirn, 2011, 'A' cleachdadh na Gàidhlig, a' brosnachadh an spioraid', ann an Richard A. V. Cox is Timothy Currie Armstrong, deas., *A' Cleachdadh na Gàidhlig: Slatan-tomhais ann an Dìon Cànain sa Choimhearsnachd* (Slèite: Clò Ostaig), 157–66.

Lewis, Jane, is Jane Ritchie, 2003, 'Generalising from Qualitative Research', ann an Jane Ritchie is Jane Lewis, deas., *Qualitative Research Practice: A Guide for Social Science Students and Researchers* (London: SAGE), 263–86.

Mac an Tàilleir, Iain, Gillian Rothach is Timothy Currie Armstrong, 2010, *Barail agus Comas cànain* (Inbhir Nis: Bòrd na Gàidhlig).

Mac an Tàilleir, Iain, 2013, *Cunntas-sluaigh na h-Alba 2011: Clàran mun Ghàidhlig*, stuthan teagaisg ann an Cànan, Cultar agus Cinnidheachd, (Sabhal Mòr Ostaig).

MacKinnon, Kenneth, 2011, *'Never spoken here', 'Rammed down our throats' – the rhetoric of detractors and denigrators of Gaelic in the press* (Inbhir Nis: Bòrd na Gàidhlig; Steòrnabhagh: MG Alba).

May, Stephen, is Richard Hill, 2005, 'Māori-medium education: current issues and challenges', *International Journal of Bilingual Education and Bilingualism* 8.5, 377–403.

McEwan-Fujita, Emily (2010), 'Sociolinguistic Ethnography of Gaelic Communities', ann am Moray Watson is Michelle Macleod, deas., *The*

Edinburgh Companion to the Gaelic Language (Edinburgh: Edinburgh University Press), 172–217.

Milroy, Lesley, is Matthew Gordon, 2003, *Sociolinguistics: Methods and Interpretation* (Oxford: Blackwell).

Morrison, Marion F., 2006, 'A' Chiad Ghinealach – the First Generation: A Survey of Gaelic-medium Education in the Western Isles', ann an Wilson McLeod, deas., *Revitalising Gaelic in Scotland: Policy, Planning and Public Discourse* (Edinburgh: Dunedin Academic Press), 139–54.

NicLeòid, Sìleas L., Timothy Currie Armstrong, is Fiona O' Hanlon, 2015, ga chlò-bhualadh, '"Tha e rud beag a bharrachd air dìreach teagasg" – Ag obair ann am Foghlam tro Mheadhan na Gàidhlig: Amasan, ideòlasan agus fèin-aithne', ri nochdadh ann an cruinneachadh pàipearan *Rannsachadh na Gàidhlig 7* (Glaschu).

Ó Duibhir, Pádraig, 2009, 'A comparison of Irish immersion students' attitudes and motivation to Irish in the Republic of Ireland and Northern Ireland', *Proceedings of the BAAL Annual Conference* (Newcastle University), 113–16.

Ó Duibhir, Pádraig, 2010, '"It's only a Language": The Attitudes and Motivation of Irish-medium Students to the Irish Language', ann an Wesley Hutchinson is Clíona Ní Ríordáin, deas., *Language Issues: Ireland, France, Spain* (Peter Lang: Bruxelles), 121–40.

Ó Fathaigh, Máirtín, 1991, *Learning Irish in Second-Level Schools: Attitudes, Motivation and Achievement* (Baile Átha Cliath: Comhar na Múinteoirí Gaeilge).

Ó Giollagáin, Conchúr, 2011, 'The eclipse of the first language minority speaker: deficiencies in ethnolinguistic acquisition and its evasive discourse', ann an Hywel Glyn Lewis is Nicholas Ostler, deas., *Reversing Language Shift: how to re-awaken a language tradition* (Carmarthen: Proceedings of the Fourteenth FEL Conference), 11–22.

Ó Giollagáin, Conchúr, 2012, 'Contemporary Language Policy in Ireland: Needs, processes and responses' (Obar Dheathain: Òraid aig seisean trèanaidh Shoillse).

O' Hanlon, Fiona, Wilson McLeod is Lindsay Paterson, 2010, *Gaelic-medium Education in Scotland: choice and attainment at the primary and early secondary school stages* (Edinburgh: Bòrd na Gàidhlig).

O' Hanlon, Fiona, Lindsay Paterson is Wilson McLeod, 2012, 'The attainment of pupils in Gaelic-medium primary education in Scotland', *International Journal of Bilingual Education and Bilingualism* [DOI:10.1080/13670050.2012.711807].

Ó Laoire, Muiris, 2007, 'Language Use and Language Attitudes in Ireland', ann an David Lasagabaster is Ángel Huguet, deas., *Multilingualism in European*

Bilingual Contexts: Language Use and Attitudes (Clevedon: Multilingual Matters), 164–233.

Oliver, James, 2006, 'Where is Gaelic? Revitalisation, language, culture and identity', ann an Wilson McLeod, deas., *Revitalising Gaelic in Scotland: Policy, Planning and Public Discourse* (Edinburgh: Dunedin Academic Press), 155–68.

Oliver, James, 2010, 'The Predicament? Planning for Culture, Communities and Identities', ann an Gillian Munro is Iain Mac an Tàilleir, deas., *Coimhearsnachd na Gàidhlig an-Diugh/Gaelic Communities Today* (Edinburgh: Dunedin Academic Press), 73–86.

Polinsky, Maria, is Olga Kagan, 2007, 'Heritage languages: In the 'wild' and in the classroom', *Language and Linguistics Compass* 1.5, 368–95.

Salzmann, Zdenek, 1998, *Language, Culture and Society* (2na deas., Colorado: Westview Press).

Scottish Executive, 2006, *A Curriculum for Excellence: Building the Curriculum (3–18) 1: the contribution of curriculum areas*, <http://www. educationscotland.gov.uk/Images/building_curriculum1_tcm4-383389. pdf> (06/2013).

Scottish Government, 2008, *Building the Curriculum 3: a framework for learning and teaching*, <http://www.educationscotland.gov.uk/Images/ building_the_curriculum_3_jms3_tcm4-489454.pdf> (06/2013).

Scottish Government, HMIe, SQA, LTS, 2009, *Curriculum for Excellence: Building the Curriculum 4: skills for learning, skills for life, and skills for work*, <http://www.educationscotland.gov.uk/Images/BtC4_Skills_tcm4-569141.pdf> (06/2013).

Scottish Government, HMIe, SQA, LTS, 2010a, *Literacy and Gàidhlig: Principles and Practice*, <http://www.educationscotland.gov.uk/Images/ literacy_gaidhlig_principles_practice_tcm4-540166.pdf> (06/2013).

Scottish Government, HMIe, SQA, LTS, 2010b, *Literacy and Gàidhlig: Experiences and Outcomes*, <http://www.educationscotland.gov.uk/Images/ literacy_gaidhlig_experiences_outcomes_tcm4-539869.pdf> (05/2013).

Scottish Government, HMIe, SQA, LTS, 2011, *Curriculum for Excellence: Building the Curriculum 5: a framework for assessment*, <http://www. educationscotland.gov.uk/Images/BtC5Framework_tcm4-653230.pdf> (06/2013).

Scottish Office Education Department, 1993, *National Guidelines for Curriculum and Assessment in Scotland: Gaelic 5–14* (Edinburgh: HMSO).

Skutnabb-Kangas, Tove, 2002, 'Irelands, Scotland, Education and Linguistic Human Rights: Some International Comparisons', ann an John M. Kirk is Dónall P. Ó Baoill, *Language Planning and Education: Linguistic Issues in*

Northern Ireland, the Republic of Ireland, and Scotland (Belfast: Cló Ollscoil na Banríona), 221–66.

Stiùbhart, Mòrag, 2011, 'Cainnt nan Deugairean', ann an Richard A. V. Cox is Timothy Currie Armstrong, deas., *A' Cleachdadh na Gàidhlig: slatan-tomhais ann an dìon cànain sa choimhearsnachd* (Slèite: Clò Ostaig), 275–82.

Thomas, Enlli Môn, is Dylan Bryn Roberts, 2011, 'Exploring bilinguals' social use of language inside and out of the minority language classroom', *Language and Education* 25.2, 89–108.

Tisdall, E. Kay M., John M. Davis is Michael Gallagher, 2009, 'Introduction', ann an E. Kay M. Tisdall, John M. Davis is Michael Gallagher, deas., *Researching with children and young people: Research, Design, Methods and Analysis* (London: SAGE), 1–10.

Veith, Werner H., 2005, *Soziolinguistik: Ein Arbeitsbuch* (Tübingen: Gunter Narr Verlag).

Wardhaugh, Ronald, 1986, *An Introduction to Sociolinguistics* (Oxford: Blackwell).